A EXPERIÊNCIA JUNGUIANA

BIBLIOTECA CULTRIX
DE PSICOLOGIA JUNGUIANA

James A. Hall, M. D.

A EXPERIÊNCIA JUNGUIANA

— Conceitos Fundamentais sobre Análise Clínica
e o Processo de Individuação —

Tradução
Adail Ubirajara Sobral
Maria Stela Gonçalves

Título do original: *The Jungian Experience*.
Copyright © 1986 James A. Hall.
Copyright da edição brasileira © 1989, 2022 Editora Pensamento-Cultrix Ltda.

2ª edição 2022.

Todos os direitos reservados. Nenhuma parte desta obra pode ser reproduzida ou usada de qualquer forma ou por qualquer meio, eletrônico ou mecânico, inclusive fotocópias, gravações ou sistema de armazenamento em banco de dados, sem permissão por escrito, exceto nos casos de trechos curtos citados em resenhas críticas ou artigos de revistas.

A Editora Cultrix não se responsabiliza por eventuais mudanças ocorridas nos endereços convencionais ou eletrônicos citados neste livro.

Obs.: Publicado anteriormente como *A Experiência Junguiana – Análise e Individuação*.

Editor: Adilson Silva Ramachandra
Gerente editorial: Roseli de S. Ferraz
Revisão técnica: Patricia Ruiz
Gerente de produção editorial: Indiara Faria Kayo
Editoração Eletrônica: Join Bureau
Revisão: Claudete Agua de Melo

Dados Internacionais de Catalogação na Publicação (CIP)
(Câmara Brasileira do Livro, SP, Brasil)

Hall, James A.
  A experiência junguiana: conceitos fundamentais sobre análise clínica e o processo de individuação / James A. Hall; tradução Adail Ubirajara Sobral, Maria Stela Gonçalves. – 2. ed. – São Paulo: Editora Cultrix, 2022. – (Biblioteca Cultrix de psicologia junguiana)

  Título original: The jungian experience
  ISBN 978-65-5736-204-4

  1. Jung, C. G. (Carl Gustav), 1875-1961 2. Psicanálise I. Título. II. Série.

22-118212   CDD-150.1954

Índices para catálogo sistemático:
1. Psicanálise junguiana: Psicologia 150.1954
Cibele Maria Dias – Bibliotecária – CRB-8/9427

Direitos de tradução para a língua portuguesa adquiridos com exclusividade pela EDITORA PENSAMENTO-CULTRIX LTDA., que se reserva a propriedade literária desta tradução.
Rua Dr. Mário Vicente, 368 – 04270-000 – São Paulo, SP – Fone: (11) 2066-9000
http://www.editoracultrix.com.br
E-mail: atendimento@editoracultrix.com.br
Foi feito o depósito legal.

SUMÁRIO

Introdução: Uma declaração pessoal 11

Capítulo 1 – A pessoa perturbada 25
    A visão junguiana 35
    Análise: frequência e duração 36
    Analistas junguianos: treinamento e formação ... 39
    A equação pessoal 42
    Resumo 43

Capítulo 2 – A mente e o corpo 47
    Complexos: formação e transformação 49
    O propósito e a experiência de um complexo ... 56
    O Ego-Afeto 59
    Estruturas de identidade 61

Incorporação e desincorporação: dissolver e coagular ... 67
O Ego e o Si-mesmo 69
A psique e a alma 73
Resumo 75

Capítulo 3 – Observação sobre o diagnóstico 77
Psicopatologia e individuação 81
Tipos psicológicos 89
Resumo 95

Capítulo 4 – A estrutura da análise 99
Frequência e valor pago por sessão 101
Condições de delimitação: o contrato terapêutico 105
Responsabilidades do analista 110
Responsabilidades do analisando 117
O campo de transformação 119
A razão terapêutica 124
Medicação 126

Capítulo 5 – O processo de análise 129
O primeiro passo: autoexame 132
O segundo passo: compaixão por si mesmo 133
Estágios do processo analítico 134
A própria análise como um estágio 146
Início da análise/fim da análise 147

Capítulo 6 – Sonhos e técnicas de representação....... 157

A teoria freudiana dos sonhos............................... 158
A concepção Junguiana dos sonhos 160
Recordar os sonhos 162
Registrar os sonhos para que possam ser
utilizados de modo mais eficaz na análise 164
Amplificação dos sonhos 165
A estrutura dramática da maioria dos sonhos 172
O propósito dos sonhos 174
Os sonhos na análise 176
Técnicas de representação 178
Resumo 187

Capítulo 7 – Variações da análise 189

Psicoterapia de grupo 190
Terapia de casais: arquétipo da *coniunctio* 195
Terapia Familiar 199
Hipnoterapia 201
Resumo 209

Capítulo 8 – O ego em processo de individuação 211

O pessoal e o transpessoal 211
A circum-ambulação em torno do Si-mesmo 217
Formas "negativas" do inconsciente 220
Formas de mandala 225
Crucificação e iluminação: a cruz e a Árvore Bodhi 226

Preparação para a morte 231
Além da morte 236

Capítulo 9 – Além da análise: implicações religiosas e científicas da teoria Junguiana............ 241
Jung e Freud 241
A psique Junguiana 243
Implicações religiosas 244
Implicações científicas.. 248

Considerações Finais.. 255

Apêndice 1: Elementos estruturais da personalidade.... 259

Apêndice 2: Sugestões de leitura................................ 269

Nota de atualização do editor a respeito das sugestões de leitura.............................. 275

Notas 285

Glossário de termos junguianos............................. 299

"Reconhecei o que está diante dos vossos olhos,
e o que se encontra oculto vos será revelado."

— Evangelho de Tomás.

C. G. Jung
(1875-1961)
Jung aos 83 anos; foto de Karsh, de Otawa

INTRODUÇÃO

UMA DECLARAÇÃO PESSOAL

Todas as declarações psicológicas são pessoais. Não podemos enunciar uma verdade psicológica sem fazer, simultaneamente, uma confissão. Vemos aquilo que a nossa percepção pessoal nos permite ver e esta sempre é, em alguma medida, peculiarmente nossa. No entanto, na experiência da vida (ou da vida acelerada pela análise), descobrimos sem cessar que aquilo que vínhamos considerando como nossa compreensão e nossa dor peculiares e pessoais tem um caráter de universalidade, já que constitui a experiência compartilhada da humanidade. Podemos perder nossa individualidade nas ondulações e correntes da vida coletiva, mas também podemos nos entregar ao inconsciente que habita em nós, ao aceitar ingenuamente, como nossa própria psique pessoal, quaisquer vozes atiradas a partir do lado interior da mente.

Em meio a esse dilema entre os mundos interior e exterior – qualquer deles capazes de nos consumir caso não estejamos atentos –, ocorre o delicado, mas básico processo de individuação. A pequena e estatisticamente insignificante psique humana individual configura-se como a única portadora de todo o som e fúria do mundo exterior, assim como se configura como a única saída existente na consciência para o vasto mundo interior dos arquétipos, a experiência humana destilada da nossa vida neste planeta.

O modo como C. G. Jung concebia a condição humana valoriza essa posição peculiar e valiosa do ser humano individual. Numa de suas visões intuitivas, Jung sentiu que os mortos esperam ansiosamente pelas notícias de todo ser humano, mesmo da pessoa mais insignificante do mundo, já que as decisões e as percepções só podem ser alcançadas no difícil mundo da vida humana.[1] Talvez os mortos existam num mundo arquetípico atemporal onde não é possível aprender novas verdades, em consequência da ausência de separação dos eventos. Nessa intuição, Jung se aproxima bastante da visão budista segundo a qual é melhor nascer no mundo humano que no mundo dos deuses, pois os deuses são tão poderosos, e vivem por um tempo tão incrivelmente longo, que lhes é difícil perceber aquilo que é mais prontamente percebido na vida humana: a natureza transitória de todas as coisas criadas.

As percepções de Jung cobrem um período que se estende das rigorosas observações científicas da experiência com a associação de palavras, com a qual ele iniciou sua carreira, às especulações maduras e de caráter místico dos seus últimos anos de vida, o que se reflete em sua autobiografia, em capítulos que tratam de tópicos como a vida após a morte física. O amplo espectro do pensamento de Jung abarca um interesse pelos aspectos clínicos do tratamento, pelo desenvolvimento religioso individual e por questões científicas a respeito da matéria, da mente e da causalidade. Trata-se de algo complexo para ficar inteiramente restrito à área do tratamento clínico. A experiência do modelo junguiano da psique envolve a análise no sentido clínico comum, com a experiência de vida e a reflexão filosófica e religiosa a respeito dessa experiência. Essa é a razão pela qual este livro tem em seu subtítulo as palavras *análise e individuação*. Nem a análise por si só, nem a individuação sem os aspectos reflexivos do trabalho consciente sobre si mesmo, constituem a experiência junguiana.

O amplo espectro da teoria junguiana me atraiu, no início, para o estudo da psicologia junguiana, atração que jamais acabou. Considerei as percepções de outros teóricos dotadas de grande valor, mas sempre consegui encontrar um lugar para elas no quadro teórico junguiano. O inverso, contudo, jamais foi possível: não me é possível acomodar o alcance e a profundidade do pensamento junguiano num recipiente mais restrito que esse pensamento.

Tornei-me analista junguiano através de caminhos tortuosos. De início, eu desejava ser arquiteto, inspirado pelas experiências com a empresa de construção do meu pai no leste do Texas. Mas as tensões emocionais me levaram à medicina, pois senti que na medicina eu teria condições de conciliar meus fortes sentimentos religiosos com a aparente inevitabilidade de cumprir as obrigações do serviço militar num período de guerra. Após um ano de estudos pré-médicos, mudei outra vez de direção, inscrevendo-me no College of Liberal Arts da Universidade do Texas, em Austin. A maioria dos meus estudos universitários iniciais estava ligada à escrita, e eu terminei por obter a graduação sem me especializar num campo específico. Um ano de pós-graduação em inglês (na verdade, estudei jornalismo e editei a *Ranger,* uma revista humorística da faculdade) me levou a considerar a possibilidade de fazer doutorado em inglês e me dedicar ao ensino. Esses planos terminaram num período de depressão, no decorrer do qual toda a direção que a minha vida seguia me parecia incerta. Retrospectivamente, isso representava a fuga do *Puer aeternus* (o "Eterno jovem") diante das realidades de um mundo real.[2]

Voltei aos estudos pré-médicos e, um ano depois, ingressei na Southwestern Medical School, vinculada à Universidade do Texas. Seguiram-se vários anos de complementação do treinamento médico e do internato, mais três anos de residência na área de psiquiatria nos hospitais de Duke e Southwestern, seguidos de um breve período de treze meses de estágio, depois do qual fui recrutado, como médico, durante a Guerra do Vietnã.

Os dois anos que passei no Exército levaram-me a desenvolver os traços afirmativos da minha personalidade, que se encontravam adormecidos na sombra do *Puer aeternus*. Esse período também me deu mais tempo para estudar e para o relacionamento familiar, assim como me permitiu obter aprovação nos exames do Conselho de Psiquiatria.

Uma experiência singular que tive na noite anterior ao exame do Conselho de Psiquiatria convenceu-me da realidade do inconsciente e da importância dos sonhos. Embora eu não me lembre do sonho que tive naquela noite, estou certo de que foi um sonho não recordado que restabeleceu meu equilíbrio psíquico pouco antes do exame. Eu estivera estudando há seis meses, muitas vezes em companhia de outros psiquiatras e com um dos neurologistas que prestava serviço em Fort Gordon. Eu viajara com esse neurologista de Augusta, Geórgia, para Nova York, revisando anotações ao longo do caminho. Na noite anterior ao exame, jantamos num restaurante chinês do outro lado da rua do hotel em que nos hospedáramos. Lembro-me de que ele comeu lulas cozidas na própria tinta – e a cor negra do prato não poderia ser mais negra que o meu estado de espírito. Eu me sentia totalmente despreparado, apesar de tanto estudo, e estava convencido de que fracassaria nos exames. Meus últimos pensamentos antes de dormir, por volta da meia-noite, estavam voltados para aquilo que eu poderia dizer quando voltasse para Augusta como um fracassado.

Quando acordei, mesmo antes de abrir os olhos, tomei consciência de uma completa mudança de estado mental. Não apenas já não havia ansiedade, mas parecia haver igualmente um sentimento de confiança e de certeza de que tudo correria bem. Abri os olhos e olhei o relógio. Passava um pouco das duas da manhã. Eu não me lembrava de nenhum sonho, mas me sentia como se tivesse sonhado profundamente. Foi fácil voltar a um sono reparador e acordei com a mesma disposição, confiante.

Os exames do Conselho transcorreram facilmente e posso até mesmo dizer que foram uma experiência prazerosa. Percebi que aquilo que ocorrera no meio da noite era um exemplo do que Jung chamou de *Enantiodromia,* um termo tomado de empréstimo do filósofo grego Heráclito. *Enantiodromia* é o princípio segundo o qual os opostos, em seus respectivos pontos extremos, tendem a se transformar um no outro.[3]

Uma das mais claras representações do princípio da *Enantiodromia* é o símbolo taoista das forças *yang* (masculino) e *yin* (feminino) combinadas num símbolo de totalidade, o *Tai Chi,* representado como dois "peixes" – um peixe negro com um "olho" branco e um peixe branco com um "olho" negro. Nos últimos anos, passei a valorizar profundamente o conceito de *Enantiodromia*, que está envolvido na unificação psicológica de opostos. A tensão entre os opostos, na psique humana individual, é parte da natureza básica da mente; porém, quando desgastada de modo inconsciente, particularmente por meio de projeções de nossas características opostas ou de nossa sombra em outras pessoas, pode provocar graves problemas. Quando a tensão entre os opostos é constelada em grandes grupos políticos, ou entre nações, pode haver sofrimento e desordem inacreditáveis.

Mediante experiências pessoais como essa, o modelo teórico de Jung foi assumindo profundidade e sentido. Embora a leitura de *Complexo, Arquétipo e Símbolo na Psicologia de C. G. Jung*, de Jolande Jacobi, me tivesse animado, a leitura subsequente de Jung foi, de certa maneira, perturbadora. Eu conseguia ficar animado diante das profundas implicações dos seus escritos, mas era incapaz de fazer a transposição do que havia neles para meu mundo cotidiano de experiência clínica e pessoal. Num certo momento, isso se tornou um problema de tal magnitude que eu era incapaz de ler mais que umas poucas páginas dos escritos de Jung sem mergulhar no fosso existente entre seu profundo significado e o mundo cotidiano.

Mais uma vez, o próprio inconsciente me mostrou um modo de sair do dilema. Pouco antes de ingressar no corpo médico do Exército, tive uma visão espontânea de Jung como uma nave que havia sido lançada no espaço pela expulsão de excesso de material – material esse composto, simultaneamente, por todos os livros de autoria de Jung e, para ser claro, por fezes. Foi uma visão, ao mesmo tempo, libertadora e perturbadora, sobretudo porque eu sabia que teria de discuti-la imediatamente com minha analista junguiana, Rivkah Kluger, que havia trabalhado bem próxima ao próprio Jung. Eu temia que ela me rejeitasse ou considerasse que a visão simplesmente demonstrava minha resistência ao pensamento junguiano. Todavia, ela a interpretou da mesma maneira que eu a havia interpretado: os escritos de Jung são, para ele mesmo, um meio de propulsão em sua própria jornada notável de individuação pessoal. No entanto, vistos sob outra perspectiva, eles não passam de excremento, de coisa sem valor.

Os excrementos, as fezes, apresentam outro significado na *alquimia*, o precursor esotérico da química moderna (que Jung foi levado a estudar por meio de uma série de sonhos, desse modo descobrindo o precursor histórico de sua Psicologia Analítica). A mais valiosa substância alquímica era a Pedra Filosofal, algumas vezes chamada de elixir da vida. Essa substância era dotada da notável capacidade de transformar metais básicos em ouro ou de curar todas as moléstias (embora, se tomada com a atitude errada, também pudesse configurar-se como um poderoso veneno). Em termos psicológicos, a Pedra Filosofal, ou *Lapis Philosophorum*, seria o Si-mesmo arquetípico, o centro regulador da psique. Se conseguir contatar verdadeiramente o Si-mesmo, o ego terá uma experiência de cura, mas também experimentará uma derrota, já que, nesse momento, perceberá que não passa de parte da psique, e que, por conseguinte, não é seu verdadeiro centro. A experiência do Si-mesmo é um antídoto moderador da inflação psíquica.[4]

Mas com que material o alquimista iniciava a obra de modo a tentar produzir a *Lapis Philosophorum*, a substância de maior valor? Uma das descrições metafóricas do material inicial, a *prima materia,* é excremento ou fezes! Essa *prima materia* é encontrada em todo lugar, desprezada ou considerada desprovida de valor, sem importância – é chamada algumas vezes de "o órfão", o que não pertence a nenhuma pessoa ou família, desvinculado do mundo cotidiano dos valores sociais. Em linguagem psicológica, a *prima materia* é a vida comum e cotidiana das pessoas. Na pessoa neurótica que considera a possibilidade de fazer análise junguiana, os altos e baixos da vida cotidiana costumam ser objeto de desprezo, apesar de constituírem precisamente o material por meio do qual, mediante o trabalho psicológico adequado, a pessoa tem condição de se acercar da *Lapis Philosophorum,* do Si-mesmo, a experiência do valor mais elevado.

Assim, minha visão sugeria que os escritos de Jung constituíam uma rica fonte de *prima materia,* em que se poderiam encontrar caminhos que conduzem ao Si-mesmo. Mas suas *Obras Completas* não continham uma panaceia pronta para usar; elas constituíam o ponto de partida. Portanto, essa visão corrigia minha tendência infantil de buscar uma figura de pai cujas percepções fornecessem todas as respostas, ao mesmo tempo que me conduzia diretamente para o caminho necessário do trabalho com minha própria *prima materia* em direção à minha experiência potencial da *Lapis Philosophorum*.

Enquanto trabalhava com a mesma analista junguiana, tive outro sonho que punha a obra de Jung em perspectiva. Nesse sonho, minha analista estava cozinhando em sua cozinha, enquanto eu e um dos netos de Jung (que eu havia conhecido quando ele trabalhava em Dallas) esperávamos para provar a comida. No balcão entre a cozinha e a sala em que estávamos, havia um estojo com uma meia dúzia de facas de carne (que me lembrava um estojo que meu pai possuía). De repente, uma das facas rachou, produzindo um forte som de metal se quebrando! Quando fui apanhar a faca rachada, esta se transformou, subitamente, na "espada de Jung", que era tão grande que, mesmo na ponta dos pés, eu mal consegui evitar que sua ponta tocasse o solo. Precisamente abaixo do punho que eu segurava, faltava um pedaço de metal da lâmina. O neto de Jung observou: "É uma pena que os protetores oficiais não permitam que a reparemos!".

A associação que fiz com a faca partida foi uma das próprias experiências de Jung, na qual uma faca de pão se partira dentro de uma gaveta.[5] Trata-se de um dos eventos parapsicológicos que levaram Jung ao conceito de *sincronicidade,* o estranho paralelo do sentido que há entre um evento subjetivo interno e um evento objetivo externo, discutido adiante, no Capítulo 9. Como o sonho era um paralelo com essa importante experiência de Jung, considerei que ele mostrava que eu já havia estabelecido um vínculo verdadeiro com a alma e o espírito da sua obra.

Todavia, fiquei aborrecido, durante anos, com a frase: "É uma pena que os protetores oficiais não permitam que a reparemos!". Só nos últimos dois anos tive um vislumbre do seu verdadeiro significado. O defeito da psicologia junguiana, conforme sua apresentação costumeira é o fato de se poder seguir uma abordagem demasiado simbólica! Se atribuirmos uma ênfase exagerada ao modo simbólico de compreender, o verdadeiro alvo da análise junguiana pode ser perdido – aquele ponto central, que se encontra em nosso mundo interior, não obstante, consegue transformá-lo.

Essa abordagem simbólica da análise junguiana tornou-se evidente em pelo menos uma das escolas do pensamento junguiano, a chamada escola de "psicologia arquetípica". Nessa abordagem, o ego é atenuado, o Si-mesmo é considerado "monoteísta" e a ênfase recai no "aprofundamento" da experiência, afastando-a do "mundo cotidiano" da consciência, e penetrando no "mundo subterrâneo" das formas arquetípicas simbólicas.[6] Trata-se, segundo penso, de um desvio infeliz da direção da obra de Jung. O próprio Jung sempre ressaltou que o ego constitui parte indispensável do processo de individuação; o ego deve não apenas passar pela experiência do inconsciente bem como assumir uma atitude com relação a ele. Sem o ego, o inconsciente não consegue concretizar-se efetivamente no mundo, e essa concretização constitui a essência do processo de individuação.

Por conseguinte, uma das razões pelas quais escrevi este livro foi o desejo de guiar a pessoa que procura a análise junguiana na direção da tradição clássica da análise, na qual a individuação constitui o alvo. A visão de Jung tem tal amplitude que serão necessárias décadas antes que suas plenas implicações sejam entendidas. Edward F. Edinger bem pode ter razão quando considera Jung o *homem-marco* da próxima fase da história humana, o articulador e o paradigma de um novo modo de viver.[7] Este livro visa corrigir algumas concepções errôneas comuns e dar à pessoa que considera a possibilidade de se engajar numa análise junguiana um bom começo, capaz de aperfeiçoar sua experiência real. Do mesmo modo, o leitor poderá obter uma ideia básica do que deve ser alcançado na análise.

O trabalho com a sombra, o *alter-ego* "sombrio", que equivale, sob certos aspectos, ao conceito freudiano de "Id", constitui boa parte do trabalho comum de psicoterapia e análise. Embora pareça inaceitável à atual imagem do ego da pessoa, a sombra contém com frequência qualidades positivas não reconhecidas, necessárias para o avanço do processo de individuação. Um dos meus amigos de Zurique, quando estudava comigo para prestar o exame propedêutico (o exame teórico feito na metade do treinamento) observou, com espírito, que havia iniciado originalmente a análise junguiana porque ouvira dizer que o inconsciente é um tesouro abarrotado de joias. Segurando a mesa, exclamou: "E *eu quero* meu tesouro abarrotado de joias!" – e acrescentou que ainda tinha de lidar com problemas ligados à sombra e com os complexos residuais do trauma da infância.

Outro analista falou em pular o muro das ruínas do Epidauro, na Grécia, do antigo santuário de cura de Esculápio, deus grego da medicina, e em "incubação" (a expressão clássica utilizada para definir a sonoterapia que ocorria nas câmaras do templo) para ter sonhos curadores. Tudo o que conseguiu, disse com desgosto, foram mais sonhos ligados ao aspecto da sombra.

Muitos anos depois, um dos meus analisandos sonhou possuir efetivamente um tesouro cheio de joias no porão de sua casa, mas que embora pudesse ir até o local onde estavam as joias, não podia trazê-las para o mundo da vida cotidiana: tratava-se de um grande tesouro, mas desprovido de "valor monetário". A passagem do fosso que separa os tesouros potenciais do mundo arquetípico do mundo da consciência do ego é uma das formas de caracterizar o processo de individuação, de concretizar (nas possibilidades da vida empírica) as potencialidades individuais peculiares da própria psique.

Além dos leitores que estejam considerando seu engajamento na análise junguiana, este volume se destina a auxiliar os terapeutas de outras formações a entenderem melhor as aplicações clínicas da abordagem junguiana clássica. Muitos dos princípios que a compõem podem ser usados numa prática eclética de psicoterapia, mesmo que o analista não tenha um treinamento junguiano formal. Com esse objetivo em mente, fiz um esforço particular no sentido de ilustrar os tópicos teóricos com claros exemplos clínicos. A junção entre teoria e prática é essencial para evitar o perigo do simbolismo excessivo a que a abordagem junguiana convida.

Em sua aplicação, a teoria junguiana efetivamente oferece uma das mais práticas e concretas abordagens da psique humana em todo o campo do pensamento psicoterapêutico, mas em geral a literatura junguiana não demonstra objetivamente como traduzir os conceitos em prática. Embora se admita que seja difícil fazê-lo sem antes ter passado pela experiência de uma análise pessoal, ainda é possível absorver o verdadeiro espírito da obra junguiana por meio de materiais escritos de natureza mais clinicamente descritiva. Muitos títulos da série editada pela Inner

City Books, assim como a revista junguiana, *Chiron,* têm esse objetivo. Um livro com intenção semelhante, embora escrito do ponto de vista da psicologia humanista, é *Fully Alive,* que apresenta certo número de exercícios práticos.[8]

Um terceiro grupo de leitores que pode vir a considerar este livro valioso é composto por pessoas já engajadas na análise junguiana, seja como analisandos ou analistas junguianos. Em sua concepção original, este livro deveria ser uma discussão da psicopatologia de um ponto de vista junguiano, um corretivo para a forte ênfase no diagnóstico de síndromes, na prática corrente da Associação Americana de Psiquiatria (American Psychiatric Association, APA) – tal como apresentada no *Diagnostic and Statistical Manual III* (Manual Diagnóstico e Estatístico de Transtornos Mentais III),[*] submetido à revisão conforme necessário. Ainda há necessidade de se promover essa discussão, mas ela deve esperar que sejam esclarecidas algumas das várias tendências existentes no campo da própria psicologia analítica, tal como o esboçou Andrew Samuels em seu livro *Jung and the Post-Jungians.*[9]

Por fim, espero sinceramente que este livro torne a experiência junguiana, tanto como análise quanto a individuação, mais próxima das muitas pessoas que a procuram. Que em sua vida e experiências futuras o espírito e a alma da psicologia junguiana possam existir verdadeiramente no mundo!

---

[*] Atualmente, o *Manual Diagnóstico e Estatístico de Transtornos Mentais*, publicado pela Artmed Editora, está em sua 5ª edição. (N. do E.)

Capítulo 1

A PESSOA PERTURBADA

Por que as pessoas procuram a psicoterapia ou a análise? Muitas razões podem ser apontadas, mas de maneira geral há uma única motivação subjacente para isso: o sentimento de que nem tudo está bem na vida; de que, de alguma maneira, falta-lhe um significado ou propósito mais profundo. Em muitos casos, esse sentimento está associado a um sentimento de culpa, como se a própria pessoa fosse, de algum modo, responsável pela dificuldade. Com frequência, os sintomas que se manifestam se configuram como tentativas fracassadas de encontrar o caminho certo – uma série de casamentos ou relacionamentos rompidos, um padrão recorrente de dificuldade com o trabalho ou com a família, ou simplesmente um sentimento opressivo de que algo na vida não vai bem, de que faltam à vida objetivos profundos e significativos.

Apesar de procurar a psicoterapia por causa de um profundo sentimento de desconforto pessoal, em geral a pessoa perturbada alimenta a esperança de que ela talvez não seja o seu próprio problema básico, de que o problema seja a família, o companheiro ou as circunstâncias da vida. Há um desejo humano profundamente enraizado de não estar em falta, de não ser aquele que deve mudar. Embora a pessoa perturbada vá ao psicoterapeuta ou ao analista pedir ajuda para mudar, muitas vezes há esse desejo não expresso de vir a ser aprovada tal como é, e de que a carga da mudança venha a ser posta nos ombros de outra pessoa.

Um exemplo que permanecerá eternamente na minha memória ocorreu há alguns anos, nos primeiros dias da minha prática analítica. Uma jovem mulher, minha paciente há alguns meses, vinha trabalhando com problemas neuróticos de depressão. Durante uma das sessões semanais, ela me disse: "Não tenho muito dinheiro e estas sessões são extremamente caras para mim; como você sabe o que há de errado comigo e eu não sei, por que você simplesmente não me diz o que é, para eu poder trabalhar com isso mais rapidamente e economizar?".

Senti pena dela, e cometi o erro de dar à sua solicitação seu valor consciente sem me lembrar dos significados simbólicos que também se achavam vinculados a esse pedido. Disse-lhe, com toda a concisão possível, o que pensava haver em seu comportamento e em suas atitudes que a faziam infeliz.

Com um gesto raivoso, ela atirou a bolsa na mesa e exclamou: "Se é assim que você me vê, vou embora!"– e saiu! Fiquei sem vê-la por uns três meses. Quando voltou, ela me pediu desculpas (e eu lhe pedi desculpas), e voltamos a fazer uma útil psicoterapia que produziu alguma melhora em sua condição.

Desde então, passei a avaliar mais profundamente os problemas da transferência e da contratransferência (discutidas no Capítulo 4), pois não há apenas uma relação consciente entre analista e analisando envolvida na constelação analítica. Há também uma relação consciente entre cada uma das partes e a própria mente consciente dele ou dela, assim como entre ele ou ela e a mente inconsciente da outra pessoa, a que se acrescenta a relação direta entre as mentes inconscientes de ambas as pessoas. Para Jung, mesmo essa complexa relação se configurava como um modelo simplificado da interação![10]

Embora a pessoa perturbada vá ao analista com a esperança muito pouco consciente de que não haja necessidade de psicoterapia, há outra parte da personalidade que reconhece sempre que alguma mudança vital é necessária. Na entrevista inicial, ou na série inicial de entrevistas, essa necessidade de mudança pode se tornar mais clara para o analista e também para o analisando, mesmo que uma formulação de caráter mais definitivo deva aguardar um período de experiência de análise.

Com efeito, a formulação precisa de um diagnóstico nem sempre é possível (ou mesmo desejável, a não ser como um artifício orientador geral). As categorias de diagnóstico usadas correntemente na psiquiatria são discutidas no Capítulo 3, mas essas categorias se destinam amplamente à coleta de dados a respeito de categorias de problemas psiquiátricos sem desvios teóricos. Elas não têm sutileza suficiente para servirem à conceituação das batalhas pessoais travadas no interior da psique, que constituem os verdadeiros estágios de avanço do processo de individuação. Não obstante, o par analítico analisando-analista deve ter algum senso da direção para a qual tentam dirigir-se, e uma formulação geral do problema é útil, mesmo que posteriormente venha a sofrer revisões.

Os diagnósticos não estão livres de perigos e de efeitos colaterais. Os pacientes com uma estrutura mental particularmente lógica podem passar do conhecimento do nome do seu diagnóstico para a leitura a respeito desse diagnóstico na literatura psiquiátrica, o que com frequência os leva a ficar assustados, temerosos de que todos os elementos presentes na descrição teórica do diagnóstico venham necessariamente a se manifestar neles. Querer saber demais o que está errado consigo costuma ser contraproducente e pode levar antes à fantasia aterrorizante que a uma compreensão mais profunda.

Quando comecei o meu próprio treinamento em psiquiatria, sofria com frequência ao descobrir algo a meu respeito na descrição teórica de praticamente todos os transtornos psiquiátricos presentes nos manuais. Somente depois de acumular certa experiência clínica é que consegui ver essas descrições teóricas em sua perspectiva própria. Sem experiência clínica, as descrições transmitem elementos em demasia, particularmente à pessoa perturbada que já esteja convencida de que algo vai mal e que, ao se consultar, demonstraram uma forte motivação para compreender o que há de errado. A coragem é admirável, e até necessária, mas precisa ser aplicada à compreensão do significado mais específico do material pessoal – e não às descrições gerais das categorias de diagnóstico.

Uma das razões que todas as pessoas têm para sentir que há algo está errado no seu interior, é a presença, em cada um de nós, daquilo que Jung denominou sombra. A sombra é um dos conceitos estruturais da psicologia analítica (discutida mais plenamente no Apêndice 1).

O termo sombra não tem implicações de coisas más, referindo-se tão somente àquilo que é jogado na "escuridão" pelo que se encontra na "claridade" da consciência. Quando algo originário do inconsciente se aproxima da consciência, passa para um campo de avaliação que pode ser chamado *campo de escolha moral*. Parte daquilo que se aproxima da consciência pode ser aceitável, incorporado ao ego, enquanto a parte inaceitável é dissociada e reprimida na sombra.

Os conteúdos aceitáveis para o ego da pessoa – aquela parte de nós que é o "Eu" e se considera o centro da consciência – costumam ser incorporados sem dificuldade na *persona*, particularmente se também forem aceitáveis do ponto de vista da situação cultural na qual vivemos. A *persona* é uma "máscara", não apenas no sentido de esconder alguma coisa, mas também no sentido de revelar alguma coisa – por exemplo, um papel social ou cultural, como o indicavam as grandes máscaras usadas no drama grego clássico. Quando "cai bem", a *persona* aperfeiçoa e transmite de modo efetivo a verdadeira natureza do ego que se encontra "atrás" dela; mas se for usada em demasia, em substituição ao desenvolvimento de um ego adequado, ou se for usada para esconder a verdadeira natureza do ego, podem surgir estados patológicos. O desenvolvimento deficiente da *persona* expõe o ego ao trauma, de modo bastante análogo ao efeito da deficiência das substâncias protetoras da pele sobre o corpo.

Quando a pessoa perturbada consulta o analista pela primeira vez, há sempre um elemento de ansiedade da *persona* e de ansiedade da sombra. Essas duas formas de ansiedade são perfeitamente normais, mas podem vir a se tornar patológicas caso sejam experimentadas num grau extremo – ou ansiedade demais (o padrão neurótico comum) ou mesmo pouca ansiedade, que no pior caso, indica uma psicopatia (desenvolvimento moral inadequado e pouca preocupação com o efeito das próprias ações sobre as outras pessoas).

Na análise, a ansiedade da *persona* manifesta-se como medo de revelar ao analista os verdadeiros detalhes da própria vida, que com frequência são precisamente os detalhes necessários a uma correta compreensão do problema e à formulação apropriada de um plano provisório de tratamento. O paciente pode esquecer efetivamente os detalhes e deixar de contá-los por isso. Todavia, é mais frequente que o material esteja presente na memória, mas que a pessoa não os relate de maneira voluntária no diálogo analítico. Trata-se de outra forma de esperança defensiva neurótica de que aquilo que verdadeiramente nos preocupa não é essencial e não tem de ser analisado.

Alguns terapeutas simplesmente iniciam o trabalho sem muitos dados de base, adquirindo-os ao longo da análise; mas essa não me parece a abordagem mais desejável. Nas sessões iniciais, quando analista e analisando ainda estão se conhecendo mutuamente, as perguntas a respeito do histórico do trabalho, da família etc., são análogas às anotações feitas em um histórico médico, isto é, são mais neutras em termos de sua tonalidade emocional. Depois de ser estabelecida uma relação de transferência/contratransferência, contudo, essas mesmas perguntas podem trazer profundas acentuações inconscientes e merecer respostas mais defensivas.

Se todas as pessoas que iniciam a análise pudessem levar a sério um pequeno conselho, muita dor de cabeça e, na verdade, muito dinheiro poderia ser economizado: diga ao analista a verdadeira razão pela qual você sente que algo está errado com você. É melhor falar demais, exagerar aquilo que se pensa estar errado, do que omitir um detalhe que possa ter valor.

Todo analista com grande prática já ouviu muitas vezes todos os prováveis caprichos humanos que a pessoa perturbada hesita em mencionar. Embora seja difícil de perceber, o medo de rejeição que o paciente experimenta ao omitir materiais da sombra na situação analítica é, na verdade, a própria autorrejeição interior do paciente, muitas vezes vinculada ao cerne do problema neurótico. É igualmente importante entender que aquilo que o paciente julga ser a razão que o fez procurar a análise pode não ser a verdadeira razão subjacente.

Há alguns anos, um paciente de terapia de grupo relutou durante meses em contar ao grupo seu terrível segredo. Por fim, com muito apoio e encorajamento, ele fechou os olhos, apertou os pulsos e disparou: "Sou *gay*!". Depois de alguns minutos de silêncio, ele abriu os olhos, espantado por não ter visto ninguém responder emocionalmente à sua assustada confissão. Todos os membros do grupo já haviam percebido há meses que ele era homossexual e já o haviam aceitado como tal. Sua confissão só serviu à sua própria consciência supersevera, que era parte da estrutura psicodinâmica da sua orientação sexual. Como se veio a saber, ele parecia satisfeito em manter sua autorrejeição inconsciente, pois rejeitara a oportunidade de trabalhar esse aspecto que escondia de si mesmo. (Talvez ele até tenha ajudado a manter a rejeição – e fugiu sem pagar sua conta há muito acumulada!)

A terapia de grupo ainda é controversa em muitos círculos junguianos. Alguns analistas, entre os quais me incluo, atribuem-lhe grande valor, apesar de Jung pensar que a terapia de grupo não era um substituto da análise individual.[11] Jung, ao que parece, jamais experimentou uma terapia de grupo processual, tendo tomado como base de sua posição relativa à dinâmica de grupo, grupos sociais não estruturados, como o Clube de Psicologia de Zurique – no qual as pessoas agiam, como observou

Jung, com menos consciência do que a que revelavam individualmente. A terapia de grupo e outras variações da abordagem junguiana clássica são discutidas amplamente no Capítulo 7.

A ansiedade da *persona* é mais facilmente produzida que a ansiedade da sombra, embora, na prática, não se separem. A ansiedade associada à retirada da armadura da *persona* está diretamente vinculada ao temor de que a sombra seja vista e a pessoa rejeitada. Enquanto a *persona* se encontra, de modo mais ou menos amplo, submetida ao controle do ego, que, em geral reconhece sua presença (exceção feita ao estado de identificação entre ego e *persona*), a qualidade da sombra é desconhecida ao ego. O ego é consciente de uma parte da sombra, mas sempre sente, do ponto de vista emocional, que há nela uma quantidade de material inaceitável que costuma não ser tão grande quando a sombra é verdadeiramente revelada.

A ansiedade da sombra tem como origem, em certa medida, a maneira pela qual a sombra foi formada como parte estrutural da personalidade no decorrer da primeira infância (em parte, talvez, já aos 6-8 meses de vida). Na época em que está sendo consolidado, o ego deve lidar com julgamentos bastante primitivos a respeito daquilo que é aceito como bom pelo ambiente circundante (aquilo que vale como ego e *persona*) e daquilo que é julgado inaceitável, sendo esta última parte, normalmente, reprimida e dissociada na sombra. A sombra é, em essência, uma identidade alternativa do ego, e guarda conteúdos que poderiam ter sido incorporados ao ego se este último se tivesse desenvolvido em outro ambiente.

Um exemplo comum em praticamente todas as sociedades "civilizadas" é a repressão, na sombra, de níveis até mesmo normais de raiva. Embora alguma *agressividade* seja necessária ao crescimento equilibrado da personalidade, o fato de ser dissociada na sombra no início da vida da pessoa significa que todo retorno desse material reprimido evocará no ego a sensação de que algo de proporções perigosas está em vias de despertar outra vez. Boa parte da psicoterapia comum, assim como os estágios iniciais da análise junguiana, concentra-se em tornar a pessoa consciente desse material da sombra e em levar a pessoa a retrabalhá-lo à luz do julgamento de um ego mais desenvolvido. Embora pareça perigosa para o ego, a sombra pode conter, na realidade, qualidades necessárias ao avanço da individuação da pessoa.

Para que a máscara da *persona* seja retirada, e para que a sombra seja analisada, o analisando deve sentir que o processo ocorre dentro de si mesmo num recipiente seguro, mais seguro que o mundo comum em que se esperava que a *persona* se mantivesse a uma distância adequadamente segura – para permitir a existência de um mundo pessoal de escolha e de privacidade subjetiva. Essa fronteira segura do recipiente analítico constitui uma parte vital da relação analítica. Esta questão é discutida no Capítulo 4.

A VISÃO JUNGUIANA

Supondo que a pessoa perturbada procure a psicoterapia por causa de um profundo sentimento intuitivo de que há algo errado consigo, de que é necessário produzir uma mudança interior, por que procurar especificamente a análise junguiana?

Muitos o fazem porque leram alguma obra de Jung ou tiveram uma reação positiva à sua abordagem. Com frequência, as pessoas se sentem atraídas pela visão teórica do inconsciente como matriz criativa de toda a vida consciente, e não simplesmente como repositório do que foi reprimido. Muitas pessoas sentem instintivamente que esse é o verdadeiro estado de coisas, do mesmo modo que há um amplo consenso com relação ao caráter significativo dos sonhos (como discutiremos adiante, no Capítulo 6). A visão junguiana concebe um todo psíquico coerente e significativo que existe num mundo no qual há processos de crescimento a serem facilitados, assim como processos de ruptura que devem ser tratados de modo responsável. Trata-se de uma visão de mundo em que é atribuída importância à psique individual.

Todavia, como tudo o mais, a visão junguiana pode ser empregada de maneira errônea. Algumas pessoas perturbadas procuram a análise junguiana na crença equivocada de que podem lidar com grandes questões de caráter arquetípico e ignorar sua própria psicologia, assim como evitar ativamente o trabalho com materiais pessoais dolorosos do passado. Essa opinião não é consistente com a tradição junguiana clássica, pois o próprio Jung jamais repudiou a utilidade da *análise redutiva,* termo junguiano para a categoria de psicoterapia defendida por Freud, na qual os problemas do presente são "reduzidos" aos efeitos de eventos do passado, ainda ativos no inconsciente da pessoa.

Na situação ideal, o analista junguiano conseguiria engajar a pessoa perturbada numa análise redutiva, se isso for indicado, ou naquilo que Jung denominou o *modo sintético,* o modo de compreensão simbólica e de síntese de elementos conflitantes entre si a serviço do processo de individuação, caso este último se afigure mais apropriado. Se um complexo presente surgir efetivamente de complexos psicológicos cujo padrão sofreu estreitamente a influência de eventos passados, a abordagem redutiva pode ser um procedimento eficiente a ser empregado. No Capítulo 2 será discutida a teoria dos complexos; ela oferece uma forma de superar a aparente incompatibilidade entre o modo redutivo e o sintético da análise.

ANÁLISE: FREQUÊNCIA E DURAÇÃO

As pessoas que procuram a análise se preocupam, com frequência e justificadamente, com a quantidade de tempo e de dinheiro que possa estar envolvida. Supõe-se, em geral, que a análise requeira anos de trabalho, muitas vezes com várias sessões semanais, tal como no modelo freudiano tradicional, ao passo que a análise junguiana, assim como outras formas de psicoterapia, costumam ser encaradas como alternativas mais rápidas ou mais eficientes. Boa parte da controvérsia em torno da análise vem da dificuldade de definir o processo analítico em termos de estágios ou resultados, de modo que as pessoas geralmente terminam por defini-la em termos de técnica – número de horas por semana, saber se o analisando senta-se diante do analista ou se reclina em um divã etc.

Na verdade, a análise junguiana de modo algum apresenta um consenso com relação a essas questões. Embora a maioria delas seja feita face a face, alguns junguianos (particularmente aqueles cujo treinamento foi feito na Inglaterra, na Sociedade de Psicologia Analítica (Society for Analytical Psychology) utilizam com frequência o divã e fazem várias sessões por semana. Nos Estados Unidos, o arranjo mais comum é aquele em que o analista e paciente sentam-se um de frente para o outro e que não tenham mais de uma ou duas sessões semanais. Alguns junguianos usam técnicas não enquadradas na análise clássica, incluindo a psicoterapia de grupo, as técnicas projetivas, tais como as construções em tabuleiro de areia, arteterapia, hipnoterapia, terapia de casais etc. Alguns fazem certo número de sessões por telefone, mas normalmente apenas com analisandos que já tenham trabalhado por algum tempo na análise pessoal face a face.

A frequência de sessões analíticas pode variar de analista para analista e conforme a gravidade do problema. A provável duração do período de análise formal é difícil de determinar. É bem mais fácil determinar quando uma pessoa perturbada deve iniciar a análise do que dizer quando deve parar. (Essa questão será tratada especificamente no Capítulo 5.)

Tentar estimar por quanto tempo uma pessoa fará análise equivale a perguntar quanto tempo é necessário para se aprender uma língua estrangeira, tocar com maestria um instrumento musical ou construir uma casa. Há muitos fatores a serem considerados: a intensidade e a frequência do trabalho, a habilidade inata, a disponibilidade dos materiais necessários e assim por diante.

Em termos práticos, é preferível avaliar o progresso feito na análise junguiana apenas após períodos de cerca de seis meses. Tentar avaliar mudanças a intervalos menores leva com frequência à colocação de uma ênfase excessiva em breves flutuações que podem ainda não estar consolidadas de maneira estável na personalidade. Apesar de muitas pessoas ficarem fazendo análise junguiana anos a fio, é incomum que permaneçam trabalhando nos mesmos problemas que as levaram inicialmente a procurar a análise. O processo em que a pessoa entra quando faz análise junguiana é fundamentalmente o processo da própria vida. Por conseguinte, não há outro término natural além da morte, e mesmo nesse não sabemos claramente o que, se houver alguma coisa, nos espera.

As sessões analíticas formais podem chegar ao fim ou ser interrompidas em vários estágios, mas o processo subjacente de individuação, o verdadeiro significado da análise junguiana, é interminável.

Uma mulher que me procurou durante os seis primeiros meses da minha prática ainda se encontra em tratamento, embora algumas vezes tenha interrompido a análise por longos períodos. Ela não está, de modo algum, trabalhando com a mesma depressão que a levou à análise; a ênfase atualmente recai sobre o crescimento da personalidade e o movimento de sua própria vida. Mesmo os pais, que originalmente constituíam para ela uma dificuldade, alcançaram um estágio em que se encontram tão dependentes dela quanto ela esteve deles.

Se houver escolha entre um curto período de intenso trabalho analítico e um período menos intenso e mais prolongado de trabalho (talvez em função de recursos financeiros limitados), em geral é melhor preferir o período mais longo e menos intenso (excetuando-se, naturalmente, as situações de crise). Uma análise mais extensa permite que certo número de acontecimentos da vida, tão essenciais quanto à própria análise, aconteçam no decorrer do período em que a pessoa se encontra em análise. Mais uma vez, a experiência junguiana se reveste de um duplo aspecto – análise e individuação. A análise pode ser programada, ao passo que os eventos essenciais da individuação não podem ser objeto de uma organização, quer seja feita pelo ego do analista ou pelo ego do analisando.

ANALISTAS JUNGUIANOS: TREINAMENTO E FORMAÇÃO

Praticamente todos os analistas junguianos que tenham recebido formação tradicional são membros da Associação Internacional de Psicologia Analítica (International Association for Analytical Psychology – IAAP), o principal órgão de qualificação profissional dos junguianos, pelo fato de serem membros das várias sociedades de psicologia analítica que compõem a IAAP.

No momento em que escrevo este livro,* há várias sociedades junguianas nos Estados Unidos, cada uma com seu próprio programa independente de treinamento, em Nova York, Boston, Chicago, Los Angeles, São Francisco e San Diego. Além disso, a Sociedade Inter-Regional de Analistas Junguianos (Inter-Regional Society of Jungian Analysts – IRSJA), que também oferece treinamento, conta com inúmeros membros nos Estados Unidos e no Canadá.

Na maioria desses centros de estudos e práticas voltados à psicologia analítica, a profissão de analista junguiano é vista como uma "segunda carreira"; isto é, uma das qualificações para o ingresso no treinamento é a apresentação de evidências de que a pessoa já esteve responsavelmente envolvida em atividades vitais. O treinamento envolve a análise pessoal – que costuma durar no mínimo cinco anos, sendo feita com mais de um analista – e a aquisição de uma base completa nos princípios fundamentais da psicologia analítica, assim como uma ampla gama de estudos acadêmicos em disciplinas como estudos voltados à mitologia e à religião.

---

* Final da primeira metade dos anos 1980. (N. do E.)

Entre os analistas junguianos há uma ampla variedade de profissionais em termos de treinamento clínico. Alguns são médicos, psiquiatras, psicólogos ou assistentes sociais; outros fazem parte de alguns níveis do ministério sacerdotal (e costumam receber certificados da Associação Americana de Conselheiros Pastorais – American Association of Pastoral Counselors – AAPC). Alguns analistas junguianos não tiveram nenhuma formação clínica anterior. O Instituto de Zurique, por exemplo, é registrado essencialmente como instituição educacional, e recebe candidatos aptos com título de mestre em qualquer campo de estudo (não necessariamente clínico), mas ele espera que os analistas graduados em seu curso assumam a responsabilidade pessoal de cumprir os requisitos-padrão legais do local durante a prática analítica.

Essa diversidade em termos de cursos e formação entre analistas junguianos dá colorido e riqueza ao campo todo. A pessoa que busca a análise deve solicitar a apresentação das credenciais médicas do analista que consultar se julgar que isso é importante. Independentemente da escola de pensamento psicanalítico que sigam os psiquiatras têm formação em medicina e, por essa razão, podem prescrever medicação para ansiedade, depressão e distúrbios mentais mais sérios. Os psiquiatras, assim como alguns psicólogos, têm acesso à hospitalização, que algumas vezes, embora raramente, é necessária. As considerações feitas aqui se revestem de um caráter essencialmente prático e não se destinam a fazer uma reflexão a respeito da qualidade de qualquer escola ou indivíduo particular.

A EQUAÇÃO PESSOAL

Mais importante que o treinamento profissional do analista é a *equação pessoal*, o sentimento básico de que há uma "boa relação" entre analista e analisando. Quando a pessoa se encontra apreciando preliminarmente o engajamento na análise e quando há mais de um analista disponível, é permitido fazer "pesquisa de mercado". Uma entrevista inicial (pela qual normalmente são pagos honorários) se configura como a única maneira de "sentir" qual a melhor escolha entre duas pessoas.

Mesmo o analista mais bem treinado é incapaz de tratar de maneira satisfatória todas as pessoas. Durante a residência em psiquiatria, perguntei a um dos meus professores o que ele fazia com os pacientes que realmente os desagradava. Ele disse: "Eu os envio a um analista que realmente me desagrade", e acrescentou: "e eles sempre parecem se dar bem"! Meu professor estava usando sua própria reação emocional às pessoas de maneira sensível, sem prejudicar o paciente ou o outro psiquiatra por não gostar deles pessoalmente.

Jung acreditava claramente na importância essencial de que se reveste aquilo que denominei equação pessoal entre analista e analisando. Ele afirmou que os instrumentos certos nas mãos da pessoa errada não funcionam, ao passo que os instrumentos errados nas mãos da pessoa certa *realmente funcionam*.[12]

Se a análise não estiver indo bem, deve-se discutir essa questão de maneira clara e aberta. Com frequência, basta uma discussão desse tipo para que os bloqueios sejam removidos. Tanto o analista como o analisando podem iniciar o assunto. Se a discussão franca e um pouco mais de análise não resolverem o impasse, o analista ou o paciente podem solicitar uma consulta com outro analista, o que algumas vezes fornece uma perspectiva suficiente a respeito da dificuldade para que a análise original prossiga. Se o analista e o analisando concluírem que a análise não "avança", pode ser útil a sugestão, por parte do analista, de vários colegas que, segundo seu julgamento, possam trabalhar bem com aquele analisando em particular.

RESUMO

1) A pessoa perturbada que busca a análise junguiana pode ter procurado o analista por causa de um sentimento geral de insatisfação com a própria vida, sem qualquer formulação clara da dificuldade subjacente.

2) As visitas iniciais ao analista podem tornar claro o problema que afeta a pessoa, embora, em alguns casos, esse problema só venha a ficar claro no decorrer do trabalho analítico.

3) É difícil prever com antecipação a duração da análise. De modo geral, é preferível uma análise mais longa com sessões menos frequentes, do que uma análise mais curta e mais intensa, já que a experiência junguiana envolve tanto

a análise quanto a individuação, o que inclui reações ao fluxo de experiências da vida.

4) O progresso na análise não deve ser avaliado após um período muito curto. Um período de cerca de seis meses constitui um bom intervalo para a reflexão a respeito do ponto a que chegou a análise ou a respeito do curso que parece ser adequado para ela.

5) A equação pessoal entre o analista e o analisando se reveste de maior importância que a formação profissional ou teórica do analista.

6) As dificuldades que se manifestarem durante a análise devem ser discutidas abertamente, já que analista e analisando são colaboradores no oferecimento de auxílio para que o analisando lide com seu próprio inconsciente.

Retrato 1938 – Joan Miró
(Kunsthaus – Zurique)

Capítulo 2

A MENTE E O CORPO

Estamos de tal modo acostumados a sentir que "temos" um corpo (em contraste com *ser* um corpo), que raramente refletimos a esse respeito. Aquilo que de fato parecemos "ter" é um corpo-imagem, um sentimento da nossa existência corporal no espaço. Na vida desperta, são raros os momentos nos quais sentimos a diferença entre o corpo real e nosso corpo-imagem. Lembro-me da primeira vez em que olhei para o espelho e percebi que meus cabelos castanhos, antes abundantes, começavam a rarear. Uma recordação mais remota, do início da adolescência, refere-se à primeira vez em que percebi que haviam nascido pelos escuros nas costas dos meus dedos. Essa observação me fez lembrar meu pai e me fez sentir que eu estava crescendo.

Há exemplos, que não são raros, em que as pessoas, após a amputação de um membro, "sentem" que a parte amputada ainda está presente. Nesse caso, experimenta-se o corpo-imagem que parecia congruente com a parte amputada presente. Tivemos um vizinho, na faixa dos 50 anos, que havia perdido a parte inferior de uma perna quando adolescente. Ele ainda sentia que podia mexer os dedos do membro "fantasma" amputado.

Em minha prática psiquiátrica, vi algumas pessoas que haviam perdido vários quilos, às vezes mais de cem, e ainda se sentiam gordas, para não falar de pacientes acometidos de anorexia, magros como palitos, e que ainda assim se sentiam obesos. O corpo-imagem, ao que parece, é mais duradouro que o corpo propriamente dito; o corpo-imagem existe na mente.

De modo geral, a ciência supõe que o corpo é o elemento primário e que o termo "mente" não é senão uma palavra que designa nossa capacidade de percepção quando o corpo (o cérebro, em particular) funciona normalmente. Segundo essa visão, chamada *epifenomenalismo,* a mente não tem existência independente e pereceria por completo com a morte do corpo.

Outras visões dessa questão são normalmente chamadas de *visões dualistas* – o que significa que, para elas, a mente e o corpo são, de algum modo, entidades distintas e separadas, embora seja impossível especificar a forma que a mente assume sem o corpo e o cérebro, já que, nos termos da nossa observação, sua ocorrência sempre é conjunta.

É difícil caracterizar como claramente dualista a posição junguiana nessa questão. Sua posição por certo enfatiza que fenômenos como sincronicidade, PSI – percepção extrassensorial (telepatia, clarividência e precognição) são fenômenos reais. Esses eventos incomuns, aos quais Jung dedicou uma de suas principais obras,[13] devem ser considerados numa visão abrangente do mundo.

COMPLEXOS: FORMAÇÃO E TRANSFORMAÇÃO

Do mesmo modo que há imagens do corpo em nossa mente, algumas vezes mais duradouras que as partes do corpo que representam, há imagens de outro tipo. Essas imagens não estão distribuídas segundo um padrão aleatório; elas estão agrupadas em elementos a que Jung deu o nome de *complexos*. O termo *complexo* foi incorporado de tal maneira à nossa linguagem comum por exemplo, na expressão: "Ele tem um complexo materno", que raramente percebemos que ele tem um sentido mais preciso. Um complexo psicológico, na teoria junguiana, é um grupo de imagens relacionadas entre si que têm um acento emocional comum e que se formam em torno de um núcleo arquetípico.

Em torno do arquétipo da mãe, por exemplo, pode ser vinculado certo número de imagens. Algumas delas são claramente compatíveis entre si, como é o caso da imagem da mãe pessoal de cada um de nós, da avó pessoal, talvez de uma irmã mais velha com atitudes maternais ou de uma professora primária, assim como uma imagem que se abrigue em figuras do inconsciente coletivo – talvez uma estrela de cinema ou uma mulher dedicada à política, uma ministra, a rainha da Inglaterra ou Maria, Rainha do Céu. Não é tão surpreendente que todas essas figuras tenham um significado maternal em sua relação com o ego, mas seria impressionante encontrar um complexo materno em atividade, por exemplo, por trás da relação de um homem com seu patrão e não com sua patroa. Lembro-me de um jovem paciente que se mantinha, inconscientemente, à espera de que seu chefe se relacionasse com ele da maneira como sua própria mãe o fazia, ao passo que o patrão esperava que ele se comportasse como adulto.

Os complexos são formados à medida que as experiências se agregam em torno de determinantes arquetípicos. É como se os arquétipos formassem um campo magnético que atrai de modo diferenciado e organizassem as experiências. Os arquétipos, em si mesmos, são um princípio ordenador de experiências, ao passo que uma imagem que representa um arquétipo é chamada *imagem arquetípica*. As imagens arquetípicas, tais como as imagens do herói, do dragão, da cruz, do tesouro etc., são encontradas, tipicamente, na mitologia, na religião e no folclore. A figura da bruxa, por exemplo, representa uma forma negativa do arquétipo da mãe; quando aparece no sonho de um indivíduo, pode indicar um complexo materno negativo em atividade. Nunca podemos conhecer ou experimentar o arquétipo propriamente dito; experimentamos, com efeito, uma imagem do arquétipo, da mesma maneira como o sentimos em atividade pela forma como as imagens são organizadas, por exemplo, num conto de fadas ou num sonho.

Os complexos podem separar-se ou fundir-se. De fato, provavelmente eles se encontram permanentemente no processo que leva a essas mudanças de estado. Ao que parece, os sonhos com frequência se configuram como imagens espontâneas do reprocessamento dos complexos durante o sono (veja o Capítulo 6). Segundo se supõe, os complexos estão ativos, ou constelados, quando a mente se encontra num estado de excitação emocional.

Um dos exemplos mais marcantes da súbita formação de um complexo, e de sua persistência ao longo do tempo, é o resultado da *neurose traumática*. A neurose traumática é provocada pelo fato de uma pessoa encontrar-se impotente diante de uma situação arrasadora. Uma pessoa presa aos escombros de um prédio desabado, por exemplo, ou um soldado em combate que não possa movimentar-se por causa do fogo inimigo, pode ter um sentimento de impotência absoluta e de total desesperança. Se sobreviver, a pessoa muitas vezes terá sonhos que se repetem, reproduzindo exatamente a situação traumática pela qual passou. Esses sonhos podem persistir durante anos (mais de 25 anos, em um caso de que tive conhecimento). Freud, ao observar esses sonhos traumáticos de combate, após a Primeira Guerra Mundial, abandonou seu conceito de princípio do prazer como determinante exclusivo dos conteúdos mentais e elaborou um "instinto de morte" paralelo.

Segundo penso, os complexos também podem ser formados pela ação espontânea da psique, sobretudo durante os sonhos.[14] Por exemplo, há casos raros nos quais uma pessoa desperta após passar por um sonho vívido com uma forte imagem formada na mente, imagem que persiste ao longo do tempo e exerce um impacto significativo sobre a vida subsequente da pessoa em questão. Um homem sonhou que uma voz cheia de autoridade lhe disse: "Você não está vivendo sua verdadeira vida!". Tendo passado a preocupar-se com o significado do sonho, esse homem reexaminou-se durante vários anos, mantendo-se o sonho, por todo o período, registrado em sua mente. A imagem vívida formada pelo sonho tornou-se o ponto focal de uma persistente reflexão.

Outras ideias e imagens da vida do sonhador passaram a agregar-se em torno da memória desse sonho. Em linguagem estrutural, boa parte dos complexos presentes em sua mente foi reavaliada e reestruturada em novas combinações. Esses eventos efetivamente levaram o homem a formar um arranjo básico diferente do seu padrão de vida.

Por conseguinte, parece haver dois determinantes da formação de complexo. Há, em primeiro lugar, a experiência da vida desperta, na qual um complexo tem probabilidade de se formar se estiver envolvida uma forte emoção. Em segundo lugar, está a ação do inconsciente, tanto na formação normalmente lenta de complexos – por meio do campo arquetípico que reestrutura as experiências em andamento –, como por meio da criação rápida e espontânea de uma nova estrutura de complexo, tal como ocorre em um sonho. A ação do inconsciente que pode ser observada de modo mais claro em um sonho também ocorre, sem dúvida, na vida desperta, na qual provavelmente funciona mediante um significado emocional diferente, ligado inconscientemente aos eventos cotidianos.

É importante lembrar que os complexos psicológicos não são necessariamente patológicos; trata-se de componentes básicos da mente. Os complexos determinam, em larga medida, o modo como vivenciamos a nós mesmos e aos outros. Eles podem ser observados de forma personificada nas imagens oníricas. Do mesmo modo, pode ser objeto de demonstração em laboratório, recurso utilizado por Jung em seus primeiros trabalhos, na experiência de associação de palavras e em outros procedimentos de teste psicológico.[15]

O complexo Ego

O próprio ego, nosso sentido subjetivo de "Eu", pode ser considerado um complexo, mas é um complexo diferente de outros complexos, decorrente do fato de a consciência estar associada a ele. Todos os conteúdos da psique estreitamente ligados ao ego também compartilham, por conseguinte, da consciência.

O complexo ego parece ter como fundamento o arquétipo central do *Si-mesmo* na psique objetiva (ou inconsciente coletivo). O termo Si-mesmo é empregado por Jung num sentido muito diferente do sentido de "Self" (como é usado em "autoconsciente", "autocentrado", "autoconfiante" etc.).* O Si-mesmo também pode ser chamado de o arquétipo central da ordem. O Si-mesmo arquetípico constitui, teoricamente, o centro da psique como um todo (que inclui a consciência e o inconsciente), embora o ego, que na realidade é tão somente o centro da consciência, se considere o centro da psique. Trata-se de uma ilusão que vai sendo corrigida no decurso do processo de individuação.

O sentimento errôneo de centro da psique, que o ego manifesta, tem como paralelo a antiga crença coletiva de que a Terra é o centro do sistema solar. Outro paralelo ocorre no gnosticismo valentiniano, uma variante primeva do cristianismo, no qual "Deus" não era o Deus altíssimo, mas um intermediário que criara um mundo imperfeito, mas que se considerava, erroneamente, a mais alta autoridade.

A dissolução de complexos

Os complexos mudam ao longo do tempo, de acordo com as experiências de vida de cada pessoa. No entanto, se toda experiência nova for simplesmente assimilada pelos complexos existentes, a única mudança que ocorre é o aumento do "peso" do complexo que leva a estrutura psíquica a tornar-se cada vez mais rígida. Mas existem forças espontâneas na psique, ativadas pelo Si-mesmo, que exercem uma contínua pressão em favor da

---

* *Self,* em inglês, pode ser "eu", "auto", "o mesmo/a mesma" etc. É usado aqui para traduzir *Selbst,* termo alemão para *Si-mesmo.* (N. dos T.)

dissolução ou despotencialização dos complexos patológicos, ao mesmo tempo que promovem a ordem e o crescimento a serviço da individuação. Essa pressão pela individuação pode ser seguida por uma série de sonhos, se vista da perspectiva junguiana clássica, assim como pode ser percebida em histórias de vida, nas quais as pessoas costumam "suplantar" seus problemas iniciais, com frequência no final da faixa dos 40 e no início da faixa dos 50 anos de idade.

Além disso, os sonhos servem ao reprocessamento dos complexos que compõem a estrutura da psique, a fim de promover o processo de individuação. Nos sonhos típicos da neurose traumática, por exemplo, a situação do trauma pode se reproduzir com toda exatidão por um longo período, e mesmo durante anos, antes que ocorra uma mudança simbólica no sonho recorrente. Essa mudança simbólica é indicativa do fato de o complexo traumático finalmente estar em processo de metabolização, liberando a psique daquele sentimento particular de opressão do ego.

No caso acima mencionado, em que o sonho traumático durou mais de 25 anos, a situação original ocorreu durante a Guerra da Coreia. O sonhador tinha sob seu comando um pelotão de dezessete homens – que, contra a sua opinião, foram enviados, numa noite escura e chuvosa, numa missão de reconhecimento do terreno. Eles foram emboscados e apenas o sonhador e outro soldado escaparam com vida. Durante anos, o sonhador teria pesadelos tão fortes, que terminou por sugerir à mulher que dormisse em outro quarto para que ele não a ferisse acidentalmente caso acordasse aterrorizado pelo pesadelo. Gradualmente, os pesadelos passaram a ocorrer a intervalos menores, embora ocorressem, quase sem exceção, quando a noite realmente estava chuvosa. Após ter trabalhado consigo mesmo, ele relatou, quase 25 anos após o evento, que tivera numa noite chuvosa um sonho incomum, que continha alguns elementos do sonho traumático original, mas sob uma forma claramente modificada. Desde esse sonho aquele evento onírico traumático não mais retornou, mesmo em noites de tempestade.

A dissolução natural e lenta de um complexo pode ser acelerada de maneira considerável por meio da análise junguiana bem-sucedida. Parece haver dois componentes nesse processo, que se revestem, sob formas diversas e em diferentes momentos, de importância. O primeiro componente é uma compreensão do significado do complexo, de modo que seu "propósito" possa ser compreendido na consciência. O segundo consiste em experimentar o complexo com afeto (emoção), mas numa situação segura, na qual o complexo pode ser objeto de reflexão, feita à luz dos valores conscientes da personalidade.

O PROPÓSITO E A EXPERIÊNCIA DE UM COMPLEXO

Uma compreensão do "propósito" aparente de um complexo pode ocorrer mediante a percepção do modo como se originou o complexo na vida particular do paciente (pela reconstrução de sua vida pregressa); essa compreensão pode ocorrer igualmente sob uma forma simbólica (pela interpretação de sonhos e de outros procedimentos simbólicos); além disso, pode ocorrer no curso da observação do paciente nas situações correntes nas quais seja possível reconhecer que o complexo está ativo (como se dá num grupo formal de psicoterapia ou em praticamente qualquer relacionamento).

É importante ter em mente que os complexos se comportam como se fossem personalidades parciais. Cada complexo é dotado do potencial de organização de uma personalidade completa, com maior ou menor grau de complexidade, de maneira semelhante ao modo pelo qual cada célula do corpo contém a informação genética *in potentia* – potencial – para a criação de um organismo humano completo. Com efeito, o complexo é forçado a funcionar como parte do organismo total, tal como as células do corpo humano, em seu estado normal, funcionam como partes reguladoras do corpo. Uma célula desregulada para servir ao bem do corpo como um todo se torna cancerosa; um complexo não relacionado com a organização da psique (incluindo-se aí tanto a consciência como o inconsciente) pode levar a uma neurose ou (no pior dos casos) a uma psicose.

Quando o ego de uma pessoa se encontra "possuído" por um complexo – isso quer dizer: quando um complexo é ativado –, a personalidade é submetida a uma pronunciada mudança. Sabemos que um complexo foi ativado (constelado) sempre que vivenciamos um excesso de emoção, seja de raiva ou de prazer.

O ego tende a identificar-se com um complexo ativo; com efeito, a identidade costumeira do ego desaparece temporariamente e o complexo assume o seu lugar. Essa condição raramente se configura favorável ao bem do indivíduo; é mais frequente que constitua um problema.

Se puder imaginar que o complexo é dotado de uma consciência rudimentar própria, será possível imaginar que este dispõe do seu próprio propósito particular. De fato, o complexo pode sentir, a partir do seu ponto de vista individual, que sabe o que é melhor para a psique como um todo. Isso costuma ser evidente quando o ego se identifica temporariamente com a sombra. Quem quer que tenha lidado com um membro querido da família com problemas de alcoolismo pensará em exemplos fáceis. A personalidade habitual praticamente desaparece com a ingestão do álcool e é substituída por uma personalidade-sombra relativamente estável que pode mostrar-se beligerante ou engraçada, ou ainda, sob alguma forma notável, diferente do estado sóbrio do ego. Quando a personalidade-sombra está em ascendência, "conhece" com certeza as coisas e adota atitudes que podem mostrar-se amplamente diversas da personalidade sóbria habitual.

A sombra ou, na verdade, qualquer complexo, caso não esteja ligada à psique como um todo, pode ser tão destrutiva e até mesmo capaz de ameaçar a vida em proporção idêntica a uma célula cancerosa, que escapou à integração normal nos sistemas saudáveis do corpo.

O EGO-AFETO

A simples percepção consciente de um complexo não contribui muito para alterar a atividade do complexo no inconsciente. Após cerca de 75 horas de análise com meu primeiro analista, Bingham Dai, ele ainda interpretou um sonho nos termos do meu complexo materno. Com um grau quase imperceptível de impaciência, eu disse: "Dr. Dai, já conheço meu complexo materno; não poderíamos analisar outra coisa?". Lembro-me de que ele sorriu gentilmente. Talvez a experiência mais recente do meu complexo materno tenha ocorrido ontem de manhã, de modo que esse complexo ainda se encontra ativo e vivo, mas agora minha relação com ele é muito diferente do que costumava ser.

O que efetivamente altera um complexo é o fato de ele estar ativo, com a carga emocional que carrega ao mesmo tempo em que há a possibilidade de se fazer uma reflexão consciente a respeito do modo pelo qual ele influencia a psique. Eis um dos propósitos do *temenos* formal das sessões analíticas, que funciona como um local seguro em que podemos examinar nossas reações emocionais do dia a dia. Trata-se da mesma coisa que ocorre de maneira natural em muitos sonhos: o ego onírico encontra-se numa situação emocionalmente carregada e deve responder a ele de alguma maneira. O resultado da ação do ego onírico (que em alguns sonhos pode consistir numa inação ou simplesmente numa mudança de atitude emocional) afeta a maneira pela qual os complexos da psique são estruturados. Os resultados são herdados pelo ego vígil, muitas vezes sob a forma de uma mudança quase imperceptível nas reações emocionais ou padrões de comportamento.

Jung introduziu o termo *ego-afeto* para descrever o ego da pessoa submetida à experiência da associação de palavras quando o ego comum é modificado pela presença do afeto associado ao complexo.[16] Embora aparentemente negligenciado por Jung, que o introduziu (ele não aparece novamente em seus escritos), o termo tem sido de grande ajuda na conceituação e no ensino do uso de vários modelos de psicoterapia a residentes da área de psiquiatria e a candidatos ao treinamento de analista junguiano. Ele também se reveste de valor significativo no acompanhamento das mudanças que ocorrem no curso da interação diádica (de duas pessoas) na análise. Os estilos de intervenção útil do analista são consideravelmente ampliados quando a produção de estados do ego-afeto é considerada parte importante do processo analítico. Por exemplo, um uso judicioso de técnicas de regressão hipnótica de idade, de técnicas de representação gestálticas, tais como o diálogo com pais ausentes, cartas a pessoas mortas etc., pode ser feito de uma maneira teoricamente coerente.

Boa parte da psicoterapia tem como objetivo auxiliar o paciente a experimentar de manira segura estados de ego-afeto associados a complexos perturbadores. Algumas dessas técnicas são discutidas no Capítulo 7 como variações da análise. O conceito de induzir e controlar um estado de ego-afeto auxilia a compreensão da razão por que muitas dessas técnicas se revestem de valor no tratamento da psiconeurose. Com efeito, a indução e contenção de estados de ego-afeto associados a complexos constituem precisamente aquilo que a maioria dos sonhos que temos já faz. Mas nossa percepção consciente dos sonhos permite que nos movamos bem mais rapidamente na direção que estamos procurando seguir.

A psicoterapia de grupo, quando utilizada em conexão com a análise junguiana, constitui um poderoso modo de induzir e de trabalhar estados de ego-afeto. Serve também a outras funções, tais como a educação e o exemplo social. No *temenos,* fechado e protegido, de uma terapia de grupo adequadamente conduzida, os complexos são inevitavelmente constelados e seus efeitos percebidos. A correlação entre as observações interpessoais do ambiente do grupo e complexos semelhantes que se manifestam em sonhos, ao lado de uma compreensão da origem do complexo na história do analisando, permite um incremento das oportunidades, tanto de sentir o complexo, quanto de refletir conscientemente a respeito da experiência à luz de um julgamento mais maduro.

ESTRUTURAS DE IDENTIDADE

Ao tentar explicar a natureza dos componentes estruturais da psique, de um ponto de vista junguiano, introduzi a expressão *estruturas de identidade* para fazer referência ao *ego* e à *sombra*, e a expressão *estruturas relacionais* para me referir à *persona* e ao par *anima/animus*. Esta terminologia (veja-se Apêndice 1) tem como objetivo ajudar a ter em mente o fato de que aquilo que é gradualmente introduzido na sombra pode muito bem vir a ser, em circunstâncias diferentes, o ego. Boa parte dos conteúdos da sombra pode vir a ser retrabalhada na idade adulta e acrescentar uma nova dimensão e um contraste ao ego. A *persona* e o par *anima/animus* sempre se mantêm, em alguma medida, investidos de algum grau relacional; são pontes de relacionamento com o mundo exterior (*persona*) e interior (*anima/animus*), e servem à função de alargar a esfera pessoal de atividade do ego, tanto nas camadas externas do consciente coletivo, quanto nas camadas interiores do inconsciente pessoal.

Todos esses componentes estruturais da psique podem ser visualizados como formados por vários arranjos de complexos. Pode haver uma estrutura de complexo particular, em vários momentos, na *persona*, no ego ou na sombra, ou na *anima* ou *animus*. Além disso, os complexos estão relacionados entre si e são dotados de algo parecido com reações estatisticamente previsíveis a determinados outros complexos. Em sua forma negativa, a *anima* e o *animus* mantêm entre si uma relação clássica, que é antes defensiva que integrativa, trabalhando contra sua função natural para alargar a esfera pessoal e vincular o ego a pessoas e situações (ou profundidades de experiência) previamente situadas fora do seu âmbito de interação confortável. Esse aspecto é discutido mais amplamente no Capítulo 7, pois se reveste de uma importância primordial no tratamento de casais em terapia.

Esses termos estruturais – *anima/animus*, sombra, ego e *persona* – são, por conseguinte, semelhantes a descrições moleculares, ao passo que os complexos envolvidos são análogos aos átomos que formam as moléculas. Do mesmo modo que uma mudança no arranjo dos átomos pode produzir uma molécula com propriedades diferentes, a reestruturação dos complexos, componentes básicos da construção da psique, pode alterar amplamente a experiência do ego consigo e com o mundo.

Para discutir de modo claro situações clínicas, pareceu-me necessário introduzir a expressão *identidade do ego*.[17] Este termo visa permitir uma clara distinção entre a imagem do ego e o ego propriamente dito, que em sua forma básica consiste num centro de subjetividade baseado no arquétipo do Si-mesmo.

À medida que se identifica com determinadas estruturas de complexos, esse núcleo do ego adquire uma estrutura "de-para".[18] O ego sempre tem de si uma experiência de estar identificado com um dos polos de um padrão multipolar de complexos (um "padrão de relação com o objeto"). Assim sendo, ele experimenta, *do* polo de identificação, *para* as outras partes da estrutura desse padrão de complexos. Os complexos que se encontram do lado "para" da estrutura de-para podem ser experimentados pelo ego onírico, num sonho, como situados fora do ego. Na vida desperta, esses mesmos complexos talvez possam até mesmo ser projetados em pessoas ou situações do mundo exterior.

Por exemplo, uma pessoa com um complexo autoritário normalmente conta com uma estrutura bipolar identificável de complexos: um dos polos é a "vítima"; o outro, o "carrasco". Ao projetar o polo do carrasco da estrutura do complexo autoritário nas outras pessoas, o possuidor do complexo em questão com frequência se sentirá vítima, mesmo em situações neutras. Por outro lado, se colocado numa posição de poder, a vítima provavelmente se tornará carrasco. A verdadeira libertação de um complexo autoritário desses torna a pessoa livre do perigo representado pela compulsão a se enquadrar quer no papel de vítima quer no papel de carrasco. A integração dessa estrutura de complexo deixa a pessoa livre seja para aceitar ou para responder à autoridade, conforme a situação o exija, sem se sentir vitimado ou autoritário.

Um dos modos mais claros de conceituar sonhos consiste em vê-los como o Si-mesmo criando uma situação simbólica, normalmente a partir de complexos presentes, pelo menos em parte, na estrutura do ego, e, em seguida, oferecendo ao ego onírico a oportunidade de alterar essa estrutura de complexos mediante as próprias ações deste. Logo, o ego onírico pode estar identificado com apenas uma parte dos complexos que constituem a estrutura tácita do ego vígil. As coisas presentes no sonho que forem externas ao ego onírico podem, no estado vígil, fazer parte da estrutura tácita de complexos do próprio ego vígil.[19] Uma mudança semelhante e involuntária nas fronteiras do ego durante a hipnose foi relatada no *Journal of the American Society of Clinical Hypnosis.*[20]

Aquilo a que me referi como estruturas de complexos também podem ser chamados de *padrões de relação com o objeto*, já que serve para estruturar as relações entre o ego e outros padrões-objeto permitidos pela estrutura de complexo constelada. Por exemplo, o complexo de Édipo clássico admite três diferentes identidades de relação com o objeto (pai, mãe e filho), assim como determina, em larga medida, as relações entre essas identidades potenciais. O ego de uma pessoa com forte padrão edipiano pode identificar-se, em momentos diferentes, com uma ou mais "pessoas" da estrutura, que, de modo bastante automático, atribui uma das identidades remanescentes do padrão edipiano às pessoas com as quais o indivíduo em questão tiver interações emotivas significativas.

Essa prolongada discussão das estruturas de identidade pode facilitar a compreensão da *afirmação* feita na Introdução – a afirmação de que uma pessoa que procura a análise, embora peça que seja produzida uma mudança, alimenta uma esperança não confessada de vir a ser considerada sã e de que o problema seja atribuído a causas externas. *Sempre que a atual identidade dominante do ego está em mudança, o ego sente uma ameaça de dissolução, mesmo que a mudança siga a direção desejada.* O ego em processo de mudança parece passar de uma dada identidade (aquilo que denominei "identidade dominante do ego") para outra, normalmente mais abrangente, isto é, a pessoa encontra-se efetivamente em processo de individuação. Há, em toda essa mudança, um estado transicional no qual a antiga identidade foi desagregada e não pode ser reinstalada, ao passo que o padrão de identidade mais novo ainda não foi estabelecido de modo seguro o suficiente para sentir-se estável. Nessa fase de transição, ou de *liminaridade (liminality)*, a qualidade de contenção e proteção do recipiente analítico atinge seu mais alto grau de importância.

O termo *liminaridade*, que tem como base a descrição feita por Victor Turner dos ritos tradicionais de iniciação, tem sido utilizado com certa regularidade nos Estados Unidos para descrever o sentimento de insegurança que acompanha as transformações psicológicas significativas de padrões básicos de identidade.[21] Durante condições passíveis de serem consideradas situações de *liminaridade*, o conceito de objeto transicional, de D. W. Winnicott,[22] assim como a ênfase natural no *vas*, recipiente, ou condições limítrofes do processo de tratamento, têm utilidade. Na interação analítica um-para-um, a pessoa do analista pode funcionar como objeto transicional, mas há outras – na psicoterapia de grupo costuma ser o próprio grupo (o que é útil quando o analista carrega um forte papel projetado num padrão de identidade que o paciente se encontra em vias de transcender).

Os pacientes que iniciam a análise podem esperar esses períodos de *liminaridade*. Sendo alertados de antemão, talvez possam percorrer esses períodos com menor grau de ansiedade. O elemento que quase sempre é certo consiste no surgimento de um novo sentimento de uma personalidade estável. Espera-se que esse novo sentimento de uma personalidade estável siga a direção da individuação e do desenvolvimento, e não na direção daquilo que Jung denominou *restauração regressiva da persona,* um movimento para trás, na direção de uma organização anterior da personalidade, que é inadequada ao atual potencial de crescimento, mas que é segura (num certo sentido), por ser completamente conhecida.[23] A tendência a seguir na direção dessa regressão ocorre às vezes em todos nós; sentimos isso nos anseios pela segurança do passado, esquecendo-nos de que o passado só é seguro por ser passado; quando o passado estava ocorrendo, envolvia os mesmos riscos e estados de liminaridade que o presente.

INCORPORAÇÃO E DESINCORPORAÇÃO: DISSOLVER E COAGULAR

Quando muda sua identificação com estruturas de complexos relativamente estáveis, o ego modifica seu sentido de identidade sob formas sutis, embora a história de vida do ego – o sentimento de continuidade da infância até o momento presente – permaneça intacta. De modo algum essa mudança é invariavelmente fácil, tal como testemunha o esforço para isso, tanto emocional como intelectual, que está envolvido muitas vezes na análise (para o analista e para o analisando).

Podemos nos ver enredados em complexos gerados por experiências passadas, tanto porque o passado foi excepcionalmente doloroso (e ainda está tentando ser digerido), como porque foi excessivamente agradável (e ainda está tentando ser recuperado). A origem do complexo é a mesma em ambos os casos – uma estrutura emocionalmente carregada no inconsciente – mas a emoção que o produziu pode ter sido diferente. O denominador comum reside não no tipo de emoção, mas em uma ligação do inconsciente com o complexo.

O verdadeiro curso clínico da superação de um problema neurótico costuma ser vivenciado como períodos de tempo no decorrer dos quais os velhos sentimentos neuróticos permanecem inalterados, alternando-se com períodos que parecem relativamente livres do conflito neurótico. Aos poucos, às vezes sem que se perceba de modo consciente, parece que a nova identidade conseguiu solidificar-se e passou a ser a regra, e não a exceção. É bom lembrar-se desse padrão flutuante como o curso normal das coisas, pois assim não haverá tanto desapontamento quando houver um período de regressão aos velhos dias. Quando finalmente a pessoa se encontra livre do conflito neurótico, olhar para trás e percebê-lo leva-a a ficar surpresa, pensando: como pude ser tão cega (ou errada, imatura etc.)! Uma vez que um conflito neurótico seja claramente superado, é muito mais difícil ocorrer uma regressão, graças ao fato muito simples de que não é possível ver os termos do conflito da mesma maneira que antes. O crescimento envolve uma completa mudança de percepção.

A flutuação liminar entre o velho e o novo pode ser vista em termos estruturais como a identificação e desidentificação sucessivas do ego com determinados padrões de complexos. Isso pode ser visto às vezes de maneira dramática, em sonhos ou situações interpessoais. Na imagética alquímica, na qual Jung descobriu impressionantes paralelos com o processo psicológico de individuação, há uma instrução para "dissolver e coagular" repetidas vezes. Em outra operação alquímica, que ocorre num "pelicano" (tipo de vaso fechado), um material é repetidamente transformado em vapor e sublimado, num processo circular. Trata-se de imagens arquetípicas projetadas da identificação e desidentificação repetidas com padrões de complexos durante o estado liminar, o estado intermediário entre as identidades velha e nova, quando a psique está passando por uma transformação. É preciso suportar esses processos com certa dose de bom humor, pois eles significam que a pessoa está fazendo progressos.

O EGO E O SI-MESMO

A realidade descrita pela relação teórica existente entre o ego e o Si-mesmo é uma das mais misteriosas realidades de toda a experiência humana. Trata-se de uma realidade paradoxal: num certo sentido, o ego é o Si-mesmo, pelo menos aquela parte do Si-mesmo que existe na consciência empírica, que vive e atua no mundo da realidade consensual; mas ao mesmo tempo, num sentido igualmente profundo, o ego se encontra tão subordinado ao Si-mesmo quanto o homem a Deus nos termos teológicos tradicionais. Como já mencionamos, o Si-mesmo arquetípico é um conceito bem diferente do "eu", "o mesmo", "auto" ("*self*") com minúsculas, usado na linguagem cotidiana em construções como: "Hoje não me sinto o mesmo".

Uma das formas patológicas pelas quais o Si-mesmo arquetípico é vivenciado é a ocorrência de um delírio de grandeza, na qual o ego é identificado com uma imagem do Si-mesmo, tal como no *cartum* clássico de uma pessoa que acredita ser Napoleão, Cristo, ou algum outro importante herói cultural. Certo número dessas experiências patológicas do Si-mesmo arquetípico foi relatado na época em que havia um amplo uso do LSD e de outros alucinógenos: era como se a droga enfraquecesse de tal maneira a estrutura comum do ego, que ele se identificava com um aspecto grandioso do arquétipo subjacente do Si-mesmo.

Outra maneira patológica do ego quando este se identifica com o Si-mesmo arquetípico sob a influência de drogas alucinógenas consiste no sentimento, por parte do ego, de ser Deus. Essa identidade inflacionária resulta da perda do sentido usual de identidade por parte do ego, de modo que a imagem arquetípica do Si-mesmo, o núcleo do ego, aparece na consciência como uma identidade errônea do ego. Quando fui psiquiatra do exército, no auge da contracultura, que era muito voltada ao uso de drogas como modo de expandir a consciência, certo número de recrutas que usavam LSD me disse que seu principal problema era este: eles sabiam, com base na experiência com a droga, que Deus era a sua verdadeira identidade, mas que o sargento instrutor de ginástica não entendia isso!

Sempre expliquei a esses recrutas que, mesmo que fosse verdade que eles eram Deus, era provável que o sargento instrutor, o tenente e o capitão da companhia deles e até mesmo o comandante-geral do quartel também fossem. Se esse era o denominador comum, talvez fosse melhor ignorá-lo e adaptar-se à situação. Se eles não pudessem fazê-lo, eu sugeria talvez eles tivessem de ser "Deus" no hospital psiquiátrico.

Essa abordagem só não convenceu um único soldado a abandonar a ideia de ser Deus (ou, pelo menos, a não falar dela). A exceção foi um jovem de poucas habilidades que provavelmente nem deveria ter sido aceito no Exército. Ele sempre fora o último dentre os soldados e só entrava no time de basquete em último caso – em outras palavras, sempre estava na periferia da aceitação. Nada em sua vida, passada ou presente, poderia comparar-se ao sentimento de ser Deus. Ele preferiu apegar-se a essa ideia e não se incomodou em mantê-la quando ficou no hospital psiquiátrico.

Há várias maneiras de falar a respeito da relação entre o ego e o Si-mesmo. Edward F. Edinger a denominou *eixo ego-Si--mesmo*.[24] Mokusen Miyuki fala de um *ego excêntrico,* um ego que se encontra, de alguma maneira, "ao lado" do ego comum.[25] A expressão que prefiro pessoalmente é *ego-Self-spiration** [do latim *spirare,* exalar, respirar], para enfatizar a existência de um fluxo contínuo entre o ego e o Si-mesmo; a realidade básica repousa

---

* Neologismo criado pelo autor que pode ser traduzido como Ego Superior Inspirado, ou com insuflação divina. (N. do E.)

na flutuação e na interação mútua que há entre eles. Talvez não haja melhor descrição que a própria descrição de Jung – segundo ele, o centro da personalidade, no curso do processo de individuação, se dirige do ego para o Si-mesmo, nesse processo estabelecendo um novo centro da psique em algum ponto intermediário.

Na prática clínica usual, o conceito de Si-mesmo não precisa ser enfatizado. Ele existe sob três formas:

1) como núcleo arquetípico e modelo do ego;
2) como modo de apontar para a tendência da psique no sentido de formar um todo coordenado; e
3) como imagem dessa tendência para a ordem que frequentemente pode ser vista sob forma simbólica como uma estrutura de mandala, em sonhos e produtos da imaginação. A mandala, tradicionalmente um símbolo budista de meditação, foi o termo que Jung escolheu para se referir a essas imagens ordenadas que enfatizam uma periferia e um centro, algumas vezes sob a forma de uma cidadela com quatro portões, ou do Cristo cercado pelos quatro evangelistas, ou da mandala egípcia, que representa Hórus e seus quatro filhos.

Jung chamou a atenção para um problema contemporâneo particular: o fato de as modernas mandalas criadas de maneira espontânea parecerem ter com frequência o centro vazio, sem contar com uma figura de Deus, ao contrário do que ocorria com as formas tradicionais de mandala.[26] Essa observação está aberta a inúmeras interpretações, mas pode ter como significado que a humanidade deve haver-se com uma imagem de Deus de forma indistinta. Talvez os movimentos na direção de um diálogo entre Budismo e Cristianismo apontem nessa direção.[27]

O sentido de diálogo que se desenvolve quando do trabalho com uma série de sonhos na análise junguiana nos dá uma real consciência de ordem subjacente e de processo significativo, um sentido do Si-mesmo arquetípico. O Si-mesmo é teoricamente o autor dos sonhos, e o analista pode perguntar porque o Si--mesmo escolheu precisamente uma e não outra espécie de sequência de sonhos; assim como uma dada representação de um complexo em lugar de outra etc. O sentimento intuitivo que temos é de que o Si-mesmo é um centro da consciência, mais velho e mais sábio que o ego, mas dependente do ego, de alguma maneira, para atuar no mundo "real". Após acompanhar milhares de sonhos de inúmeras pessoas ao longo de várias décadas, minha opinião é a de que o Si-mesmo é semelhante a um amigo muito sábio e compassivo, sempre preocupado em ajudar, mas jamais coercitivo ou excessivamente judicativo, dotado de uma paciência quase infinita.

A PSIQUE E A ALMA

A psique é o mundo total da vida mental consciente e inconsciente. Ninguém conhece seus limites. Ela contém nossos modelos do mundo exterior. Os complexos são os fundamentos da construção da parte pessoal da psique, e os arquétipos constituem os grandes padrões primordiais da psique objetiva (o inconsciente coletivo). Os complexos (assim como a nossa identidade, que os toma por base) alteram o processo de individuação, sob a pressão do Si-mesmo, promovendo a atualização das nossas potencialidades inatas. A individuação é antes uma direção que um objetivo a ser atingido nesta vida. O máximo que podemos fazer, escreve Jung, consiste em "sonhar o mito de agora em diante", conscientes de que "tudo que a explicação e a interpretação faz a ele, nós também fazemos à nossa própria alma".[28]

Jung chamou a *anima* e o *animus* de "imagens da alma", pois quando o ego não está em contato com eles, passa a vivenciar aquele estado que é chamado, em alguns sistemas religiosos primitivos, de "perda da alma".[29] A alma é uma função de conexão, que transmite um significado mais profundo e mais abrangente que o significado experimentado corriqueiramente pelo ego. Se a *anima* ou o *animus* forem projetados numa pessoa pela qual nos apaixonarmos, nós podemos ter, na ausência dessa pessoa, um sentimento de perda da alma.

Mas a imagem da alma tanto pode ser vinculada a pessoas como a coisas: uma causa, um propósito, a pátria etc. – e até mesmo a objetos (tal como ocorre no caso dos fetiches). A imagem da alma nos traz um sentimento de conexão significativa que nos transcende, ou pelo menos da possibilidade de haver essa conexão. Trata-se de um sentido de direção intimamente vinculado ao processo de individuação. Como todos os sentidos, pode ter o seu objetivo compreendido de modo errôneo e desencaminhar-se. Parte do trabalho de análise consiste em manter a pessoa em contato com esse dinamismo da psique, tal como o visualiza a partir de outras perspectivas, entre as quais se inclui o significado dos sonhos.

RESUMO

1) Não habitamos apenas corpos; habitamos estruturas contidas na mente. Essas estruturas determinam nosso sentimento de identidade; quando elas se encontram no processo de mudança, podemos vivenciar um processo de desorientação, ou um sentimento de liminaridade.

2) Os complexos, estruturas da parte pessoal da psique, são formados como o resíduo da emoção que atua no interior do campo arquetípico organizado. Para desfazer ou transformar os complexos patológicos, costuma mostrar-se necessário repetir a experiência da emoção vinculada ao complexo visado, mas no âmbito de uma situação segura e contida como o *temenos* analítico.

3) O centro de coordenação da psique como um todo é o Si-mesmo, que também é o modelo arquetípico do ego.

Capítulo 3

OBSERVAÇÃO SOBRE O DIAGNÓSTICO

Quando uma pessoa visita pela primeira vez um analista junguiano (ou qualquer outro terapeuta), há uma tendência natural a querer saber o que há de "errado" com ela. Isso se deve ao fato de haver uma tendência a pensar em termos de um modelo médico: diagnóstico (o que há de errado), prognóstico (qual o resultado provável) e tratamento (o que pode ser feito para melhorar as coisas).

Embora o estado psicológico real de uma pessoa seja invariavelmente mais complexo do que a capacidade de classificação de qualquer sistema de diagnóstico (razão pela qual muitos junguianos têm repulsa pela apresentação de um diagnóstico formal), algumas categorias consensuais de diagnóstico são úteis.

O sistema utilizado é o Manual Estatístico e de Diagnóstico III (DSM-III),* elaborado por um comitê da Associação Americana de Psiquiatria (American Psychiatric Association, APA). Ele substitui uma versão anterior – o DSM II –, que tinha como base, em larga medida, a teoria psicanalítica freudiana, mas que também sofreu a influência de outras teorias, tais como o modelo de "reação" de Adolph Meyer.[30] A objeção feita ao DSM-II (que também ainda se encontrava em uso na época em que este livro foi escrito) era essa inclinação em termos teóricos e o fato de não especificar os sinais e sintomas de um diagnóstico de modo a facilitar a pesquisa de explicações alternativas dos transtornos mentais, tais como a explicação psicodinâmica e a neurofisiológica.

Quando o DSM-III se encontrava em vias de elaboração, a Sociedade Inter-Regional de Analistas Junguianos (Inter-Regional Society of Jungian Analysts, IRSJA) e vários outros grupos junguianos entraram em contato com o comitê para protestar contra o diagnóstico proposto de "personalidade introvertida". A objeção junguiana se devia ao fato de que *introvertido* e *extrovertido,* termos que Jung havia introduzido em sua teoria dos tipos psicológicos, são equivalentes – se houver um diagnóstico patológico chamado "personalidade introvertida", deverá haver também outro diagnóstico chamado "personalidade extrovertida"–,

---

* Esta obra foi escrita no final da primeira metade dos anos 1980, motivo pelo qual optamos por não fazer atualizações desnecessárias nesta edição para não comprometer os dados históricos a que o autor teve acesso na época. (N. do E.)

mas nem introvertido nem extrovertido são termos patológicos; eles apenas descrevem uma preferência normal de atitude no sentido de situar os valores básicos no exterior (extrovertido) ou no interior (introvertido). O comitê do DSM-III ficou preocupado e desejoso de ajudar, usando a expressão "personalidade retraída" para o problema que seus membros tentavam descrever.

As categorias do DSM-III atualmente usadas foram elaboradas à luz da intenção de exibirem neutralidade teórica, descrevendo categorias de diagnóstico como síndromes (sintomas cuja ocorrência se dá conjuntamente). Ao especificar os sintomas (as queixas dos pacientes) e os sinais (dados observáveis sobre o paciente), é possível elaborar de modo mais adequado à pesquisa a respeito dos problemas psicológicos. Trata-se de algo positivo para a pesquisa, mas não tem grande utilidade para o clínico.

Algumas síndromes observadas com frequência por analistas junguianos não são facilmente descritas nos termos fixados pelo DSM-III. A síndrome do *puer aeternus,* por exemplo, costuma ser observada por analistas junguianos como um agrupamento coerente de sintomas que implica certa causa, um curso provável de tratamento e um provável desfecho. *Puer aeternus* é a expressão latina para "eterno jovem". (A forma feminina própria para *puer aeternus* é *puella aeterna,* mas a expressão masculina costuma ser usada para fazer referência à síndrome em ambos os sexos.) A "Síndrome de Peter Pan", o *Puer aeternus* tem como característica uma tendência a viver num mundo de possibilidades, mas de fuga diante do trabalho necessário à atualização dessas possibilidades no mundo exterior – em larga medida porque o fracasso causaria danos à autoimagem do *puer* e seria muito doloroso. Por isso, o *puer* tende a ficar preso à "vida provisional".[31] Peter Pan é a imagem literária do *puer aeternus,* tal como o é *O Pequeno Príncipe* de Saint-Exupéry.[32] Os junguianos podem discordar quanto à imagética arquetípica subjacente ao *puer aeternus,* com alguns deles enfatizando a imagem da mãe e outros a imagem do pai, mas a maioria concordaria com a descrição geral da síndrome.

Embora a síndrome do *puer aeternus* exiba muitas semelhanças com a categoria de diagnóstico da *personalidade narcisista,* há diferenças significativas entre elas. A descrição do *puer aeternus* traz consigo a implicação de que no interior da pessoa há qualidades potencialmente positivas que, em condições ideais, seriam incorporadas pelo ego consciente mediante um processo de diferenciação e de integração. É característico do pensamento clínico junguiano que as desordens que levam as pessoas a fazer análise trazem em si as sementes de desenvolvimentos novos e criativos na personalidade em processo de individuação. O objetivo costuma ser não apenas "superar" os sintomas manifestos, mas também descobrir e integrar o significado deles.

Há uma clara necessidade de vincular conceitos junguianos como o da síndrome do *puer aeternus* a categorias de diagnóstico de uso mais amplo, a fim de levar o pensamento junguiano à consciência de um círculo mais amplo de psicoterapeutas. Apesar de ter popularizado muitas áreas de que os junguianos se ocupam, a psicologia humanista não se preocupou com a sombra, ou com outros aspectos arquetípicos do inconsciente, de modo amplo.

O caráter relativo do diagnóstico não significa que este não seja importante para a análise junguiana. O diagnóstico tem importância para toda empresa psicoterapêutica, tanto como um marco da situação inicial, quanto como uma forma de acumular gradualmente dados a respeito do mesmo diagnóstico entre grupos de pessoas – o que constitui um propósito essencial do DSM-III. É necessário realizar pesquisas criativas que envolvam os conceitos clínicos junguianos. Isso já vem sendo feito na área da tipologia (ver abaixo), tendo o perfil tipológico Singer-Loomis abandonado a escolha forçada de funções opostas entre si (pensamento/sentimento *ou* sensação/intuição).[33]

PSICOPATOLOGIA E INDIVIDUAÇÃO

A psicopatologia (que se refere ao que há de errado com a pessoa) e sua cura constituem uma estrutura muito estreita para conter em si o objetivo da análise junguiana, já que muitas pessoas que se beneficiam mais amplamente com este tipo de análise nada apresentam de "errado" no sentido clínico do diagnóstico. Jung enfatizou que o objetivo da vida é a *individuação*. Por individuação, ele designava algo muito mais profundo e abrangente que aquilo que ocorre no processo de individuação como etapa do desenvolvimento infantil, no qual a individuação está vinculada à separação psicológica da criança com relação à mãe.[34]

A individuação é a manifestação, na vida, do potencial inato e congênito da pessoa. Nem todas as possibilidades podem ser realizadas, de modo que a individuação jamais se completa. A individuação é mais busca do que objetivo, mais direção a seguir do que local de descanso na caminhada. O ego em processo de individuação alcança, repetidas vezes, pontos nos quais deve transcender a imagem que fazia de si mesmo até então. Trata-se de uma experiência dolorosa, pois o ego se identifica continuamente com as imagens que faz de si mesmo, acreditando que a imagem com que se identifica num dado momento seja a pessoa "real". Eis a razão pela qual as respostas à clássica pergunta: "Quem sou eu?" – permanecem, a todo o momento, abertas à modificação.

Contudo, a total manifestação de uma parte do potencial pode exercer um efeito inibidor sobre outra parte igualmente importante. Aquilo que se mostra consistente com uma dada identidade do ego pode estar se interpondo no caminho de outra identidade, mais ampla e abrangente, que está tentando formar-se no curso da individuação. Essa interposição costuma suscitar dilemas morais: a lealdade para com o bem presente pode inibir e destruir o bem futuro, mais amplo. Para complicar ainda mais as coisas, não há garantia de que a identidade presente do ego possa ter uma clara consciência da próxima identidade do ego que se encontra em desenvolvimento. Quando tenta imaginar o caminho da individuação, a identidade presente do ego pode projetar seus próprios complexos integrados, e até mesmo um ego ideal formado pela *persona*, no futuro.

Muitos sintomas neuróticos têm como causa a tentativa do ego de recuar diante de um desenvolvimento necessário no processo de individuação. Se, por exemplo, recuamos diante da aprendizagem da expressão do sentimento normal de afirmação, costuma haver o desenvolvimento de um quadro clínico de depressão. Na superfície, pode parecer que a depressão foi causada por eventos externos. Só por meio da compreensão analítica podemos ver que se trata antes (ou também) de uma questão de tomada de consciência e de integração das próprias potencialidades. Portanto, a partir de um ponto de vista junguiano costuma ser importante "atravessar" a depressão, vivenciando o conflito interior até chegar a uma solução, e não apenas lidar com os sintomas da depressão até que eles deixem de existir. Há marcantes relatos de que essa mesma abordagem de tratamento pode ser utilizada de modo criativo em transtornos esquizoafetivos e, possivelmente, até mesmo em formas mais severas de doença mental.[35]

Essa abordagem de "atravessar" a depressão, em lugar de reprimi-la ou de tratar apenas os sintomas que ela apresenta, não significa que a pessoa simplesmente suporte o sofrimento. Pelo contrário, a pessoa participa dele. Nos problemas neuróticos e de caráter, a própria pessoa é, num sentido bem real, a enfermidade. Livrar-se dos sintomas sem uma profunda mudança interior é o mesmo que acabar com a febre e deixar inalterada a infecção que a provocou. No entanto, atitude de crescimento e integração está em conflito com a atual ênfase no tratamento mais rápido e menos oneroso dos transtornos.

A individuação é, em última análise, um misterioso processo que induz naturalmente a questões de ordem religiosa e relativas ao significado da vida. Jung a descreveu como um processo de circum-ambulação, que se desenvolve em torno de um centro desconhecido de nós mesmos. A existência e a evolução da vida dependem da manutenção de uma relação dinâmica com esse centro de valor e significado.

Em nossas experiências cotidianas, podemos ter uma vaga percepção de que há um profundo sentimento básico do significado da nossa vida. Em outros momentos, pode parecer que estamos alheados a esse sentimento de ordem significativa. Mas a existência de uma ordem significativa está implícita, tanto em nosso circum-ambular ao seu redor quanto em nosso alheamento com relação a ela. Edinger sugeriu que os sentimentos de aproximação e de afastamento encontram-se, de modo cíclico, em alternância, ao longo da via "espiralada" da individuação.[36]

Portanto, individuação é o termo usado na psicologia junguiana para descrever o processo pelo qual as potencialidades de uma psique particular se manifestam no curso de uma história de vida. A história de vida sempre se configura como expressão parcial das possibilidades, de modo que a individuação jamais se completa. O processo de individuação é vivenciado pelo ego como um sentimento de estar mais ou menos "nos trilhos" da vida. Os sonhos estão a serviço do processo de individuação, opondo-se à promoção das intenções do ego; este costuma sentir-se caminhando numa direção inadequada quando se encontra superidentificado com determinados complexos ou presa de uma imagem arquetípica com relação à qual assumiu uma posição por demais passiva.

A individuação equivale a uma contínua espiralagem em volta do nosso centro real; jamais podemos nos dirigir diretamente a ele, mas sempre temos consciência de estarmos nos aproximando ou nos afastando dele. O processo de individuação é semelhante a um senso interior de direção que pode ser ignorado ou sobrepujado, mas nunca abandonado. O *Daimon* de Sócrates equivalia a um sentimento de individuação, algo que lhe dizia quando estava fazendo alguma coisa errada, mas que jamais lhe dizia qual a direção "certa" a seguir – esse era o trabalho do ego.

A espiral é um excelente símbolo para o caminho da individuação, pois combina o sentido de movimento ao longo do eixo interno com a imagem do circum-ambular em torno de um centro. Se imaginarmos uma linha ao longo de um dos lados de uma forma espiralada, e se compusermos a imagem do ego como algo que se move ao longo dessa linha, teremos uma ideia da forma pela qual voltamos continuamente aos mesmos problemas (como ocorreu com meu complexo materno, já mencionado), mas num nível diferente a cada volta da espiral. Parafraseando T. S. Eliot em *Quatro Quartetos,* é como descobrir que nosso fim estava em nosso início, mas nós o encaramos como se o víssemos pela primeira vez.

Muitos sintomas aparentemente patológicos podem ser vistos, do ponto de vista da psicologia analítica, como substitutos de um passo necessário da individuação que o paciente tentou evitar. O fato de se evitar a integração de níveis normais de agressividade, por exemplo, pode provocar, ao mesmo tempo, hipersensibilidade à *agressividade* das outras pessoas e, caso continue a ocorrer, pode levar à depressão. A depressão é o sintoma aparente e pode ser "explicada" nos termos da *agressividade* das outras pessoas, mas o significado subjacente é a necessidade de integração da própria capacidade de *afirmação* do paciente.

Voltamos a uma percepção apresentada no início: a razão pela qual uma pessoa procura a análise junguiana pode ser a razão "errada". A análise pode ser o caminho certo, mas a verdadeira razão para que a pessoa se submeta à análise normalmente evolui e se desenvolve no curso da própria análise. Em última instância, a razão ou motivação para fazer análise é a individuação, o processo pelo qual a pessoa vai se tornando, cada vez mais, aquilo que ela é em termos potenciais.

Um novato num grupo de psicoterapia, por exemplo, costuma preocupar-se com o tempo durante o qual os demais membros já se encontram no grupo, com frequência concentrando-se no integrante mais antigo do grupo e reclamando: "Não posso ficar *tanto* tempo!". Mas a pessoa não percebe que, em primeiro lugar, a razão pela qual alguém permanece fazendo terapia por um longo período de tempo costuma ser bastante diversa daquelas que a levaram a iniciar a terapia.

A individuação é um processo natural que ocorre em todos. A análise junguiana não produz o processo de individuação, mas com frequência é capaz de ativá-lo, de torná-lo mais consciente e de acelerar-lhe a velocidade de ocorrência. Há três importantes diferenças entre a pessoa cuja individuação segue as vias naturais e aquela cuja individuação ocorre mediante a experiência analítica. A pessoa cuja individuação é estimulada mediante a análise é: 1) mais capaz de perceber de maneira consciente e descrever o processo de individuação; 2) menos propensa a sofrer uma regressão para padrões neuróticos de comportamento; 3) mais capaz de ajudar outras pessoas (na qualidade de "parteira") a passar pelo mesmo processo. No entanto, isso não significa que um modo de individuação seja superior a outro, mas que simplesmente há diferenças entre elas. Os seres humanos vinham passando pela experiência da individuação, sob várias formas, muito antes de Jung ter usado o termo do modo como o fazemos atualmente.

A individuação é um processo tão pessoal, tão diferente das generalizações amplas a respeito do que é "normal" ou "saudável" numa dada sociedade, que devemos respeitar, em todos os momentos, sua natureza profundamente individual. Se a vida não tivesse fim, poderíamos afirmar que todas as pessoas permaneceriam em processo de individuação até alcançar um grau praticamente completo, mesmo que fossem necessários centenas ou milhares de anos. Talvez a vida continue após a morte, seja em outro plano de existência ou através de repetidas encarnações.

Mas do ponto de vista dos humanos mortais que somos, tudo o que podemos observar é a existência de uma profunda e duradoura ansiedade no interior da psique de cada um de nós, para que nos movamos inexoravelmente, embora dando muitos passos em falso, na direção dos nossos próprios eus mais amplos. Esse movimento pode parecer "patológico" do ponto de vista de qualquer autoidentidade que já tenhamos alcançado, embora possa, na verdade, constituir-se na transformação salvadora de que nossa vida precisa.

Na verdade, trata-se de um movimento tão pessoal que nem mesmo um analista plenamente familiarizado com o processo de uma determinada pessoa é capaz de dizer se um movimento de afastamento do atual padrão está ou não a serviço da individuação. Devemos lutar, a todo o momento, contra nossas próprias tendências regressivas e com nossos desejos inescapáveis de racionalizar nossos motivos menos valorosos como se fossem objetivos mais elevados. A vida sempre é um risco, mas um risco que temos liberdade para assumir de várias maneiras – as escolhas por meio das quais abrimos caminho para as potencialidades da nossa vida nos termos do nosso próprio padrão distintivo.

Quando estamos plenamente imersos numa relação analítica, podemos esperar que o nosso analista fique conosco ao longo da passagem por essas encruzilhadas de decisão e por suas consequências. Em sua melhor forma, a análise ajuda a pessoa a tomar essas decisões essenciais com o mínimo de desestruturação, tanto para ela mesma quanto para as pessoas com as quais ela mantém relacionamento. A solução sempre assume um caráter pessoal. O analista, tal como o *Daimon* socrático, tem mais capacidade para nos ajudar a perceber quando um movimento particular é falso ou inadequado do que para nos indicar o passo "certo". Às vezes, o medo de realizar uma mudança, ou o temor de estar por demais submetido à influência do analista, tenta a pessoa a interromper prematuramente a análise. Esse problema é discutido no Capítulo 5.

TIPOS PSICOLÓGICOS

Jung tomou como base para a sua Teoria Tipológica uma ampla revisão histórica da questão dos tipos psicológicos na literatura, na mitologia, na estética, na filosofia e na psicopatologia. Sua pesquisa acadêmica, assim como um exaustivo resumo de suas conclusões foram publicadas pela primeira vez em 1921. Certo número de testes tipológicos amplamente usados tem como base, nos dias atuais, princípios junguianos, como: os testes Myers-Briggs, Gray-Wheelwright, Singer-Loomis e vários outros testes desenvolvidos para fins específicos de pesquisa.

Inicialmente, Jung elaborou sua teoria tipológica com o propósito de explicar o modo pela qual ele, Freud, *Adler* e outros podiam ter concepções tão divergentes a respeito do mesmo material clínico.[37] Jung chegou à conclusão de que eles interpretavam os fatos relevantes de modo tão diverso em função das variações da maneira como esses fatos funcionavam psicologicamente, isto é, decorriam da tipologia pessoal de cada um.

No modelo de Jung, há dois grandes tipos de atitude: a *extroversão* e a *introversão*. Esses termos alcançaram fama e são parte do conhecimento cultural das pessoas mais educadas, apesar de poucos, fora do campo da psicologia, perceberem que sua origem está na obra de Jung. A principal diferença entre a extroversão e a introversão reside no fato de haver, na extroversão, um direcionamento do interesse para o exterior, na direção do objeto, ao passo que na introversão esse movimento direciona o interesse para longe do objeto exterior e *na direção do sujeito*.[38] Apesar de o interesse seguir sempre a mesma direção das atividades da pessoa – sendo um extrovertido mais ativo no mundo exterior e um introvertido mais propenso à atividade interior, a indicação primária da extroversão e da introversão tem como base a *direção do interesse,* e não a direção da atividade.

Falando em termos gerais, a extroversão e a introversão também podem ser utilizadas para descrever culturas. A cultura americana, por exemplo, é, *em geral,* mais extrovertida que a cultura suíça, que tende à introversão. Jolande Jacobi, uma das primeiras intérpretes de Jung, afirmou que, quando visitou os Estados Unidos, foi considerada bastante introvertida; mas em casa, na Suíça, era considerada uma grande extrovertida – o que exemplifica a relatividade cultural desses julgamentos.

Tipos funcionais

Além da orientação geral da personalidade, em termos de extroversão/introversão, Jung descreveu quatro funções psicológicas;

combinadas, essas funções fornecem uma aprimorada descrição da tipologia da personalidade. São elas: *pensamento, sentimento, intuição e sensação*.[39]

O pensamento e o sentimento são denominados funções "racionais", pois é possível, por meio de cada uma delas, ordenar eventos e atitudes. Com o pensamento, o material é ordenado de acordo com um padrão lógico ("A precede logicamente B"); com o sentimento, o material é ordenado de acordo com um valor marcado pelo sentimento ("Estou mais interessado na relação A do que na relação B").

O sentimento não é o equivalente da emoção ou da resposta efetiva. A emoção pode variar de maneira mais rápida que o sentimento, e é desenvolvida a partir do contexto de uma situação; o sentimento é um julgamento de valor e pode ser usado de maneira menos passional. De fato, uma pessoa cuja função primária seja o sentimento pode parecer, por vezes, "fria", pois ele ou ela podem responder mais ao valor sentimental subjacente de uma situação que à emoção imediata.

A intuição e a sensação são denominadas funções "irracionais". Nesse contexto, "irracional" não tem o sentido de *contra* a racionalidade; serve apenas para indicar que essas duas funções – ao contrário do pensamento e do sentimento – não oferecem um quadro para a ordenação das experiências. Elas são, na realidade, modos de perceber: a sensação percebe pelos sentidos físicos, ao passo que a intuição é percepção pelo do inconsciente.

A sensação diz *o que é*. Quando aplicada a objetos físicos, é a função que percebe coisas como número de itens, nomes, cores e outras particularidades. No famoso romance de Rudyard Kipling, *Kim,* foram ensinadas habilidades de observação ao garoto-herói por meio da técnica de mostrar por um breve instante um conjunto de objetos que devem ser memorizados e descritos. Esse jogo desenvolveu-lhe a sensação, que se notabiliza pelos detalhes.

A intuição, a outra função "irracional", não diz o que é, e sim *quais os resultados potenciais,* as potencialidades, de uma dada situação. A intuição tem uma qualidade probabilística e preditiva. Quando antecipamos o sentido daquilo que uma pessoa nos está dizendo, usamos a função intuitiva. Algumas vezes, a intuição se manifesta bem antes das palavras que serão ditas e antecipa com muita precisão, mas às vezes se engana. As pessoas que se apoiam essencialmente na função intuitiva costumam ter dificuldades em tolerar um ritmo lento de eventos; essa impaciência pode interferir com o desenrolar ordenado e natural de uma conversa ou de um relacionamento.

A atividade das funções

Os dois tipos de atitudes e as quatro funções podem ser separados tão somente em termos conceituais. Em pessoas reais, sempre atuam em conjunto. Como uma das funções costuma ser desenvolvida num grau muito maior que as outras, uma pessoa que passar por uma situação nova e desconhecida na vida apresentará uma tendência a abordá-la a partir de sua função mais desenvolvida (a função *primária* ou *superior*). Também é comum haver uma função secundária relativamente bem desenvolvida, que age de maneira congruente com a função primária. A função menos desenvolvida costuma ser denominada função *inferior*, o que designa sua natureza mais inconsciente e menos acessível ao ego.

Por essa razão, o processo de individuação muitas vezes requer o desenvolvimento da função inferior. Por exemplo, nos contos de fadas, que podem ser encarados como modelos de desenvolvimento do ego, a função inferior é representada, com frequência, pelo filho "estúpido", o ingênuo irmão mais novo a quem todos desprezam, mas que está próximo do mundo natural inconsciente, dotado da capacidade de falar com animais e de seguir os processos mais profundos, irracionais, mas essenciais da natureza.

Quando a pessoa se sente cansada, intoxicada ou simplesmente foi submetida a uma pressão que exceda os limites normais de resistência, a capacidade de adaptação da função superior pode ficar esgotada e outras funções, possivelmente a função inferior, podem entrar em cena. Na famosa série de televisão *Jornada nas Estrelas,* as personagens principais se aproximam das quatro funções: o dr. Spock é, essencialmente, o pensamento; o dr. McCoy é o sentimento; o engenheiro Scotty é a sensação; e o capitão Kirk é a intuição e, como tal, assume a responsabilidade final em situações irracionais e perigosas.

Tipologia e análise

Como as quatro funções e os dois tipos de atitudes representam um modelo do funcionamento total da psique, o objetivo da individuação pode ser descrito em termos de tipologia. Num sentido geral, a individuação avança mediante o desenvolvimento da função inferior, assim como pelo desenvolvimento do tipo de atitude oposto ao que marca a pessoa – os introvertidos desenvolvem a atitude extrovertida e os extrovertidos a atitude introvertida. Na cultura ocidental, é natural enfatizar, na primeira metade da vida, uma postura extrovertida, já que, nesse estágio, a psique pressiona para que se estabeleça um ego forte no mundo exterior. A introversão, por outro lado, é uma postura mais natural na segunda metade da vida, quando o objetivo não é o estabelecimento da pessoa no mundo, mas a avaliação do significado de sua própria vida, numa preparação para a morte.

A análise junguiana acelera o processo de desenvolvimento psicológico, tentando produzir os resultados da individuação num período mais curto que o natural. Graças a essa pressão por um desenvolvimento psicológico mais intencional, a análise, tal como a *alquimia*, é um "trabalho contra a natureza". O objetivo é o mesmo objetivo natural – metaforicamente, a produção da *lapis philosophorum* ou Pedra Filosofal –, mas a intencionalidade do processo encontra a resistência do ritmo mais lento da maioria dos processos inconscientes.

Alguns analistas junguianos fazem grande uso da tipologia, como um guia básico de orientação do processo analítico. Eu não o faço; em minha prática, faço uma avaliação em termos tipológicos no início da análise, utilizando com frequência um ou mais testes tipológicos para confirmar minhas impressões clínicas. O processo de desenvolvimento da análise, todavia, sempre parece mais essencial e pessoal que a descrição tipológica. Por outro lado, achei a tipologia útil para auxiliar os analisandos a compreenderem algumas de suas dificuldades (tais como o fato de serem introvertidos ao extremo num ambiente extrovertido, ou o fato de usarem o pensamento em circunstâncias em que o sentimento ou a intuição seriam mais apropriados).

A tipologia também se mostra bastante útil no aconselhamento de alguns casais, tendo em vista que é muito fácil surgirem problemas de comunicação entre duas pessoas de tipos muito diferentes entre si; nesses casos, uma compreensão da maneira pela qual a outra pessoa funciona costuma aliviar a situação e facilitar a interação harmoniosa entre as duas pessoas envolvidas.

RESUMO

1) O diagnóstico de um problema mental sempre se reveste de um caráter relativo e menos complexo que a pessoa real por ele descrita.
2) Muitas síndromes que constituem objeto de preocupação para os junguianos não são facilmente diagnosticáveis nos termos das categorias correntes do DSM-III.

3) A individuação, processo básico da vida humana, pode dar origem a sintomas de distúrbios psicológicos quando há resistência da pessoa a estágios necessários de crescimento.

4) A análise pode ajudar a diferenciar as situações que produzem os sintomas e pode ajudar o analisando a ultrapassar com maior rapidez o ponto nodal no qual o processo de individuação é interrompido pelos sintomas.

5) A individuação, um processo de circum-ambulação em torno do núcleo do verdadeiro ser, cujo curso tem a forma de espiral, é mais uma direção a seguir que um objetivo atingível. Esse processo apresenta uma natureza muito pessoal e não pode ser descrito de modo adequado mediante normas gerais a respeito da saúde e da enfermidade.

6) Um conhecimento básico da tipologia psicológica pode mostrar-se útil na compreensão das dificuldades pessoais e dos problemas de relacionamento de cada pessoa.

Duas pinturas feitas por uma mulher submetida à análise junguiana. *Parte inferior:* um estado de depressão no qual conteúdos inconscientes são ativados, mas reprimidos. *Parte superior:* conflito e confusão depois de os conteúdos inconscientes terem sido transformados em conteúdos conscientes.

Capítulo 4

A ESTRUTURA DA ANÁLISE

Quando se engajam na análise junguiana pela primeira vez, muitas pessoas alimentam uma expectativa, consciente ou inconsciente, de que:

1) o analista as ajudará a resolver o problema que as motivou a procurarem a análise;
2) haverá uma exploração da vida pregressa, particularmente das memórias da infância.

A primeira expectativa, alívio dos sintomas, configura-se como um desejo humano natural. A segunda, exploração do passado como modo de aliviar o sofrimento do presente, tem como base a ampla aceitação do estereótipo da psicanálise freudiana – estereótipo segundo o qual tudo pode ter sua origem localizada nas experiências ou fantasias da infância.

Jung chamou a ação de remeter as dificuldades presentes aos eventos do passado de *análise redutiva,* já que essa ação "reduz" as dificuldades presentes a outra coisa qualquer. Jung jamais repudiou a análise redutiva e até achava que, em certos casos, ela constitui a melhor abordagem, certamente para aquelas pessoas cujos problemas podem ser vistos com clareza como derivados de dificuldades anteriores. Todavia, Jung concentrava-se, tal como o faz a maioria dos analistas junguianos, numa compreensão mais clara daquilo que a mente inconsciente ainda está tentando fazer para auxiliar a pessoa a sair da dificuldade. Essa atividade da mente inconsciente pode ser vista com particular clareza nos sonhos, discutidos no Capítulo 6.

Um analista junguiano pode começar a análise fazendo anotações de uma detalhada história pessoal, talvez com alguns testes psicológicos, incluindo estudos como projeções em tabuleiro de areia – técnica empregada por muitos junguianos, mas raramente por outros terapeutas. Outro analista pode simplesmente começar trabalhando com o problema no ponto em que ele se manifesta, deixando que a história pregressa se desenvolva à medida que a análise progride.

Há também, como já mencionamos, amplas variações no arranjo físico do ambiente em que ocorre a análise. O procedimento usual é que analista e analisando sentem-se um diante do outro, embora alguns analistas junguianos, particularmente aqueles cujo treinamento ocorreu no âmbito da escola desenvolvimentalista (em larga medida na Inglaterra), possam pedir que o paciente se deite num divã mais ou menos como na análise freudiana clássica. O uso do divã promove a regressão controlada, mas as opiniões sobre a sua utilidade se dividem.[40]

FREQUÊNCIA E VALOR PAGO POR SESSÃO

A frequência das sessões de análise também pode variar de modo amplo. Enquanto os analistas da escola desenvolvimentalista podem pedir aos analisandos que compareçam três ou quatro vezes por semana, a frequência usual preferida pelos junguianos é de uma a duas vezes por semana. Mas isso também depende da gravidade de cada caso. Pode haver uma situação de crise na vida do paciente (causada por eventos externos *ou* internos) que torne desejável a realização de um maior número de sessões.

Pessoalmente, creio que uma a duas vezes por semana é bem razoável para a maioria das pessoas, enquanto uma frequência inferior a duas vezes por mês tende a quebrar a continuidade da análise. Quando um analisando também faz psicoterapia de grupo com o analista, costuma ser possível reduzir a frequência das sessões de análise individuais (apesar de essa opção ser limitada, dado o número reduzido de analistas junguianos que fazem terapia de grupo).

Os valores pagos variam de analista para analista, e de uma parte do país [Estados Unidos] para outra, de modo que devem ser negociados em bases individuais. Alguns analistas oferecem escalas móveis, particularmente para estudantes ou quando o analista inicia sua prática.

Muitos analistas exigem pagamento quando da realização de cada visita, ao passo que outros seguem um padrão mensal. É importante ser realista a respeito da quantia que cada um pode despender. De modo geral, como já foi sugerido, é melhor fazer uma análise prolongada de menor frequência que uma análise intensiva por um período limitado. Em todos os casos, a estrutura de honorários é uma importante parte do contrato entre analista e analisando, e deve ser perfeitamente esclarecida desde o início. Todos os mal-entendidos devem ser tratados de imediato, embora possam ser objeto de um tratamento como material analítico, ou considerados parte do acordo contratual.

Muitos significados inconscientes atribuídos ao dinheiro, tais como autoconceito ("Ninguém se importa comigo se eu não pagar"), sacrifício ("Estou deixando de comprar um carro novo para fazer análise"), substância corporal ("O dinheiro é uma porcaria") e energia ("Aquilo em que gasto dinheiro mostra para onde minha energia quer ir"). Sei de pelo menos um exemplo no qual o analisando passou a primeira sessão discutindo com o analista para determinar se deveria pagar ao analista ou se o analista deveria pagar a ele! (Ele terminou concordando em pagar ao analista.) A maioria de nós, inconscientemente, gostaria de pensar que é tão importante para seu analista que este deveria atender quer se pague quer não, enquanto sabe conscientemente que a relação com o analista é um acordo profissional e que o pagamento de honorários é apropriado.

O valor recebido em pagamento também é uma questão importante, particularmente porque costuma haver momentos em que o analisando pode imaginar se está "tendo progressos" ou se "ficou no mesmo lugar". Essas questões costumam revelar um sentimento incerto a respeito do autoconceito, ou um desejo de ter as inseguranças varridas para fora pela aprovação de uma forte figura de autoridade, sendo o analista apropriado para esse propósito. Mas o que vale de fato a análise? Será necessário pagar a alguém "apenas para ouvir"?

Quando fazia treinamento em psiquiatria, um professor disse ao nosso grupo de residentes a coisa mais sábia que já ouvi a respeito de honorários. Muitos de nós, ao iniciarmos nossa prática, hesitávamos em começar a cobrar honorários dos pacientes, já que conhecíamos nossas próprias limitações e inseguranças. O professor disse que os honorários que cobramos não correspondem necessariamente ao nosso valor para o paciente; eles apenas indicam a quantidade de dinheiro que o analista se propõe a cobrar pelo trabalho psicoterapêutico. Se o terapeuta ajuda o paciente a resolver um grave problema, os honorários cobrados por uma hora se tornam barato diante dos resultados alcançados. Se não houver resultados substanciais, o analista pode não valer um centavo por hora. Como ninguém sabe o resultado do tratamento, o verdadeiro significado dos honorários é, como disse o professor, o salário pelo qual o analista deseja trabalhar.[41]

Falta às sessões

É praxe cobrar pela psicoterapia de grupo mensalmente, mesmo que o paciente falte a uma sessão. O que se paga é a vaga do paciente no grupo, que não pode ser oferecida a outra pessoa. O tempo individual é outra questão. Muitos analistas permitem o cancelamento de sessões com a devida antecedência, normalmente entre 24 e 48 horas. O tempo disponível nesse caso pode ser oferecido a outra pessoa, podendo o analista, do mesmo modo, utilizá-lo para seus propósitos pessoais. Uns poucos analistas firmam um contrato claro com o novo paciente, nos termos do qual é reservada uma hora ao paciente por um período fixo de tempo ou até que eles façam outro acordo. Caso um acordo desse tipo seja feito, as faltas são cobradas.

Em todos os casos de falta a sessões, é provável que haja alguma razão psicodinâmica subjacente. Pode ser que o tópico que estava em discussão no final da sessão anterior àquela a que o paciente faltou tenha tido mais significado emocional do que se percebeu e o analisando tenha desejado, inconscientemente, evitar sua discussão. Muitos analistas cobram ou não as sessões a que o paciente faltou levando em conta, tão somente, a antecedência do cancelamento. Apesar de poder haver razões psicodinâmicas, ou de ordem bem prática ("Meu carro não pegou", "Tive de levar meu filho ao dentista" etc.), eu pessoalmente não gostaria de me colocar na posição de decidir o que é uma razão válida ou não para faltar a uma sessão analítica.

Há alguns anos, um médico faltou a uma sessão que teria comigo sem ligar para cancelar. Cobrei um valor nominal (menos da metade dos honorários normais que ele me pagava), embora tivesse acertado com ele que cobraria o valor integral. Na sessão seguinte, ele passou a metade do tempo alegando que eu não deveria ter cobrado nada, pois ele faltara à sessão por uma razão por ele considerada válida. Eu não queria mudar minha posição, tendo afirmado que nosso acordo consistia em me avisar com pelo menos 24 horas de antecedência e não em me apresentar uma boa razão para faltar. Ele ficou muito irritado. Na metade da sessão, resolvi desistir da cobrança pelo atraso do cancelamento, pois senti que havia uma questão subjacente mais profunda em jogo.

Quando eu lhe disse que desistiria de cobrar, ele teve um súbito ataque de choro. Surgiu uma profunda estrutura neurótica – ele sentia que ninguém se importava com ele, mas apenas com aquilo que ele pagava às pessoas ou podia fazer por elas. Estava tão convencido de sua falta de valor pessoal que jamais ousara mencionar esses sentimentos, mesmo na análise. A energia gerada pelo seu afeto, assim como o súbito cancelamento da cobrança, baixou a guarda do seu sistema defensivo.

Está claro que os honorários são mais que honorários; eles trazem em si um significado emocional.

CONDIÇÕES DE DELIMITAÇÃO: O CONTRATO TERAPÊUTICO

Elementos como honorários, frequência das sessões etc., constituem um acordo entre analista e analisando, equivalente a um contrato firmado entre dois adultos. Esses acordos contratuais configuram-se como as condições de delimitação da análise; eles marcam a separação entre a relação analítica e as outras partes da vida, de maneira que a interação que ocorre dentro dos limites fixados possa ser utilizada para o propósito especial de compreender o funcionamento inconsciente do analisando.

A escolha de condições particulares de delimitação tem algum efeito sobre aquilo que pode ser observado dentro dessas mesmas condições. Os analistas que veem os pacientes várias vezes por semana, tendo o paciente, com frequência, reclinado num divã, costumam afirmar que esse acordo permite observações que não podem ser feitas em sessões semanais únicas, numa disposição face a face. Outros (em cujo número me incluo) sentem que a realização simultânea de sessões de psicoterapia de grupo e de análise individual com o mesmo terapeuta permitem uma gama de observações que não são possíveis em sessões exclusivamente individuais. Praticamente, todos os analistas junguianos concordam que a interpretação de sonhos acrescenta à análise uma dimensão que não pode ser alcançada por outros meios.

Alguns terapeutas, seguindo R. D. Langs, referem-se às condições de delimitação como a *moldura* da análise.[42] Moldura é uma boa imagem visual, pois temos uma consciência imediata de que uma coisa emoldurada se encontra, a um só tempo, enfatizada e separada do ambiente que a circunda. A moldura também restringe aquilo que podemos observar, o que permite um processo de seleção do tipo de material estudado. E, o que é mais importante, uma vez estabelecida uma moldura ou condição de delimitação por meio de um acordo mútuo, os desvios que ocorrem podem ser interpretados como atos consciente ou inconscientemente significativos. Em geral, trata-se de uma questão de interpretação, por parte do analista, dos desvios que o paciente fizer com relação às condições de delimitação, mas o analista também pode agir fora da moldura (tal como ocorre quando se atrasa ou se esquece de uma sessão), o que também pode ser revelador.

Após o que parecia ter sido uma sessão de rotina com um paciente que estivera fazendo análise comigo há vários anos, esse paciente voltou para o encontro seguinte relatando (mas não demonstrando) que havia sentido muita raiva de mim por não ter lhe concedido todo o tempo de sua sessão anterior, acreditando que eu havia reduzido sua permanência em dois minutos. Ele estava me acusando de ter desviado das condições de delimitação. Contudo, o que ele veio a perceber foi o fato de estar tentando me fazer passar por um pai positivo, tal como seu analista anterior, para compensar sua experiência negativa com seu pai natural. Tratava-se de uma significativa e há muito adiada percepção, que se mostrou muito útil para o paciente no curso da análise. Na verdade, não estava muito claro que eu tivesse realmente reduzido seu tempo em dois minutos. Eu acreditava que não havia feito isso, mas eu havia controlado seu tempo, na sessão anterior, com um dos dois relógios do meu escritório, ao passo que ele julgara que o controle havia sido feito com o outro.

Quando comparamos os relógios, eles estavam com uma diferença de exatamente dois minutos. A questão insolúvel dos dois minutos era insignificante quando comparada à nova percepção que ele havia obtido.

Na literatura, as condições de delimitação da análise junguiana costumam ser denominadas de *vas* (ou *vas bene clausum*, o "vaso bem fechado"). Trata-se de uma referência à imagem arquetípica do vaso alquímico, o recipiente de vidro no qual o refugo, a *prima materia*, deveria ser transformada na Pedra Filosofal. Um desses *vas*, já mencionado, chamava-se pelicano, pelo fato de lembrar o pássaro, com sua cabeça no peito (esse era também um símbolo medieval de Cristo). O material líquido colocado no vaso-pelicano, quando aquecido, se transformaria em vapor, elevando-se ao longo da pequena porção curva do vaso, onde se resfriaria, condensaria e retornaria ao local onde iniciara o movimento, mais uma vez sob a forma líquida. Esse processo compunha a imagem da operação alquímica de *circulatio*, uma contínua circulação entre várias formas de substância a que se atribuía a natureza de causa de uma sutil transformação no material submetido à circulação.

De um moderno ponto de vista químico, nada ocorreria num processo desses. Mas a imagem se reveste de um profundo sentido psicológico, pois constitui uma experiência comum na análise o fato de parecer que nada está acontecendo durante longos períodos de tempo. Na verdade, pode ser que nada esteja mudando na superfície consciente, mas precisamente nesses momentos o inconsciente costuma estar preparando uma profunda mudança. Essas preparações com frequência podem ser vistas em sonhos durante o período de aparente estagnação.

Outra imagem arquetípica para as condições de delimitação é o *temenos* que, no mundo antigo, referia-se a uma fronteira sagrada colocada em torno de um templo. Na época romana, podia ser um sulco feito no solo em torno do local onde seria erigido um templo. Já antes, no antigo Egito, a primeira ação na construção de um novo templo era a "fixação dos limites" do templo por parte do Faraó, o que marcava o espaço sagrado do local de instalação do templo. Quando instalou uma nova capital em Aquetáton, local hoje conhecido pelo seu nome árabe, Tel el-Amarna, *Aquenáton*, o Faraó monoteísta "herético" da Décima Oitava Dinastia do Egito Antigo mandou erigir colunas de pedra nos quatro cantos do local, significando cada coluna que *Aquenáton* havia feito a pedra ser fixada como um dos limites de sua nova capital. Nos tempos modernos, o costume de carregar a noiva, após o casamento, para que ela cruze o limiar do seu novo lar marca uma fronteira especial, ou *temenos,* daquele local agora tendo um significado particular.

As condições de delimitação são mais que meros acordos. Elas apresentam utilidade psicoterapêutica ao permitirem que haja uma ampla gama de interpretações dentro e fora dos limites que fixam. O interior do território marcado pelas condições de delimitação é distinto da vida comum, um local seguro em que a pessoa pode se revelar de uma maneira que seria inadequada ou perigosa em condições comuns. Trata-se de um espaço no qual podemos vivenciar a atitude observadora e de amparo, mas neutra, do analista, sem sermos forçados a nos preocupar com o analista como pessoa, exceto no que se refere às condições de delimitação. É claro que a pessoa do analista continua presente, e é parte da interação, mas sob uma forma diferente daquela assumida pelas pessoas que se encontram fora do *temenos* da análise.

As condições de delimitação devem ser estabelecidas, tanto quanto possível, no início da terapia; elas devem ser aceitáveis para o analisando e para o analista e não devem ser alteradas por nenhuma das partes, sem discussão. Assim sendo, o analista e o analisando têm responsabilidades equivalentes, mas diferentes entre si na condução da análise. Essas responsabilidades são discutidas a seguir.

RESPONSABILIDADES DO ANALISTA

Uma das responsabilidades essenciais do analista é a manutenção das condições de delimitação estabelecidas conjuntamente (embora nem sempre de maneira explícita) com o analisando: estar presente à hora marcada, não alterar as sessões ou os honorários de modo caprichoso, dedicar toda a atenção necessária ao analisando no decorrer das sessões e concentrar no paciente a habilidade e a compreensão adquiridas pelo analista durante seu treinamento e sua prática. O analista deve, tanto quanto possível, ser objetivo e não judicativo, para permitir que o analisando verbalize os pensamentos que tiver a seu próprio respeito, pensamentos que, em outras circunstâncias, teria vergonha de confessar.

O analista não deve esperar que o paciente se comporte diante dele como se comportaria diante de uma pessoa do seu convívio social, *exceto na manutenção das condições de delimitação*. Em particular, isto significa que o paciente pode mostrar-se irado e crítico com relação ao analista, sem temer retaliações, mais uma vez respeitando as condições de delimitação, que constituem a parte adulta, objeto de acordo mútuo, da interação. Do mesmo modo, não se espera que o paciente mantenha uma relação de convívio social com o analista.

Sentimentos sexuais: a intimidade forçada

A atividade sexual entre terapeuta e paciente constitui uma séria quebra do contrato analítico, dando origem a questões de ordem legal, ética e moral. Contudo, a ocorrência de *sentimentos* sexuais não é incomum ou surpreendente, já que a intimidade forçada, no âmbito do *temenos* analítico, torna facilmente visíveis os aspectos mais desejáveis, assim como os defeitos, das pessoas. O analista tem permissão para ver as lutas por vezes heroicas que ocorrem na personalidade do analisando, que são invisíveis no mundo exterior. Às vezes, o paciente também pode mostrar-se dependente e vulnerável, o que pode evocar no analista um excesso de proteção, ou se revestir de um caráter sexualmente excitante. É responsabilidade do analista não tirar vantagem da atmosfera de intimidade criada no âmbito do *temenos*.

Nos dias de hoje, há grande interesse nos relatos de descumprimento da proibição profissional da prática de relações sexuais entre analista e analisando. Com frequência, a preocupação é expressa num tom sexista ou feminista excessivamente polêmico. Como há mais terapeutas do sexo masculino que do feminino, há inevitavelmente mais relatos de envolvimento sexual entre terapeutas do sexo masculino e pacientes do sexo feminino, o que tende a sugerir um abuso masculino das mulheres.

Todavia, em minha própria experiência de mais de 25 anos de prática houve apenas quatro casos nos quais um terapeuta me falou diretamente de envolvimento sexual com pacientes, de modo que a informação não foi de "ouvir dizer". Esses quatro exemplos estão divididos regularmente: dois terapeutas do sexo masculino envolvidos com pacientes do sexo feminino e dois terapeutas do sexo feminino envolvidos com pacientes do sexo masculino. Qualquer que seja a visão popular da questão, trata-se claramente de um problema que envolve terapeutas de ambos os sexos. Além disso, na minha experiência de mais de doze anos de serviço conjunto em comitês de ética de três sociedades profissionais, apenas um caso de má conduta sexual veio ao nosso conhecimento, o que prova que o evento não é tão comum como a imprensa sensacionalista sugere.

Nos quatro casos em que o analista envolvido (e, em dois dos casos, o paciente envolvido) me falou diretamente da situação, o resultado a longo prazo foi variado. Um dos casos levou a uma duradoura e bem-sucedida relação conjugal entre analista e analisando, um foi desastroso para ambas as partes e, nas duas outras situações, a atividade sexual parece ter tido poucos efeitos de longo prazo sobre ambas as partes.

Apesar de o envolvimento sexual entre terapeuta e paciente não ser legalmente ou eticamente permissível, nem correto, o significado psicológico mais profundo desses lapsos deve ser explorado em bases individuais. Essa exploração ajudará a educar terapeutas e pacientes com relação aos perigos da realização de sentimentos sexuais que costumam surgir no curso da psicoterapia.

Algumas das mais destrutivas situações que me chamaram a atenção não estavam relacionadas com a relação sexual direta entre paciente e terapeuta, mas constelações nas quais a esposa de um paciente se envolveu sexualmente com o terapeuta do sexo masculino do seu marido, reproduzindo, evidentemente, uma versão sobrecarregada da psicodinâmica edipiana clássica – situações que, em muitos casos que me chegaram ao conhecimento, jamais foram completamente resolvidas.

As fantasias sexuais, ao contrário da ação sexual direta, constituem parte integrante da relação analítica, aparecendo muitas vezes em sonhos, e não na consciência em estado vígil. Esses sentimentos podem tornar-se uma valiosa parte da análise, caso sejam tratados simbolicamente.[43] Eles costumam representar um profundo vínculo psicológico entre as duas pessoas, compartilhando da imagética arquetípica da *coniunctio* alquímica, a união dos opostos. Esses sentimentos podem prefigurar marcadas melhorias na psique do paciente. Dessa maneira, os sentimentos ou os sonhos de cunho sexual do paciente com relação ao analista devem ser transformados, o mais rápido possível, em parte da discussão analítica, de modo que seu significado simbólico possa ser explorado. Contudo, se o analista tiver sentimentos ou sonhos de cunho sexual com relação ao paciente, esses sentimentos ou sonhos dificilmente devem ser discutidos na análise, para que não se tornem uma carga para o paciente; mas devem certamente ser parte da autorreflexão do analista com relação à análise, já que podem representar uma parte instável da personalidade do analista.

Parâmetros analíticos e habilidade terapêutica

Como já observamos, o analista deve levar para a situação analítica a habilidade e a experiência terapêuticas do seu próprio estilo de análise. Como a interação entre duas pessoas que conversam sozinhas numa sala fechada se assemelha a uma situação social, algumas vezes o paciente pode surpreender-se quando o analista não responder de uma maneira socialmente esperada.

Por exemplo, o analista pode preferir não responder a perguntas a respeito de sua própria vida pessoal, tais como sobre o casamento, os filhos, a fé religiosa etc. Essas categorias comuns de discurso social, caso sejam permitidas na análise, tendem a tornar o analista "apenas outra pessoa", assim como a reduzir a possibilidade de que o paciente projete importantes materiais inconscientes no analista – o que se configura como uma das maneiras de tornar consciente o inconsciente.

A projeção de material inconsciente no analista, por parte do paciente, é denominada *transferência,* ao passo que o processo inverso, no qual o analista alimenta expectativas inconscientes ou impressões distorcidas em relação ao paciente, chama-se *contratransferência*. Como ambos os processos inevitavelmente ocorrem em alguma medida na situação analítica, é conveniente fazer referência a eles pela abreviatura T/CT, que representa "transferência e contratransferência". Esses processos constituem boa parte do campo transformativo da análise, no âmbito do qual podem ocorrer muitas mudanças no analisando e, com frequência, também no analista. Essa questão é discutida mais plenamente adiante.

A pessoa que inicia a análise pode, transcorrido um dado período, querer que o analista "fale". Às vezes, o paciente reluta em falar alguma coisa que já foi objeto de discussão –"Eu já lhe disse isso!". Essas observações costumam ter como base uma grosseira interpretação errônea da análise – segundo a qual a análise é uma situação lógica de solução de problemas na qual certa quantidade de informação é colocada na mente do analista, vindo em seguida as respostas. Com efeito, a análise não funciona dessa maneira e, na verdade, todas as "respostas" desejadas provavelmente virão antes pela repetida atenção do analisando ao que está ocorrendo no interior de si mesmo.

Para falar a verdade, os processos de transformação que ocorrem na análise têm mais relação com a estrutura inconsciente da mente que com qualquer outra coisa que possa ser identificada com a análise lógica e consciente de problemas. Essa mesma dificuldade deve ser tratada repetidas vezes, já que constitui o foco primário do sentimento ou afeto. Isto é, deve-se falar sobre isso sem se dar importância à repetição, tendo em vista que esses processos trazem consigo uma carga emocional. Trataremos mais longamente desta questão no Capítulo 6, dedicado aos sonhos e às técnicas de representação, no qual a evocação de estados de afeto-ego é vista como um processo natural em muitos sonhos.

Proteção ao analisando

Cabe igualmente ao analista a responsabilidade de informar ao paciente quando for necessário um tratamento mais rigoroso, tal como a hospitalização. A maioria dos analistas junguianos trabalha amplamente com pacientes neuróticos que raramente requerem hospitalização. Mas há algumas situações, tais como aquelas marcadas por sérias tentativas de suicídio, nas quais o paciente deve ser informado de que, para sua própria proteção, deve ser hospitalizado. Ou, talvez, o apoio ao ego menos restritivo da medicação possa ser suficiente. Em casos extremos, o analista tem a obrigação legal de notificar um membro responsável da família do paciente se este constituir claramente um perigo para si ou para os outros. Um processo legal de compromisso pode precisar ser firmado pela família do paciente.

Essas situações são raras, mas todo analista deve estar preparado para lidar com elas caso ocorram. Quando o analista não tem qualificações médicas, acordos de garantia de contingência devem ser feitos com profissionais que as tenham. A maioria dos estados depressivos é autolimitadora, tendo seu curso interrompido mesmo que nenhum tratamento seja feito nem medicamentos administrados. No entanto, a medicação e a psicoterapia podem encurtar consideravelmente a duração dos estados depressivos e, se entendimento tiver sido obtido, reduzir a probabilidade de futuras recorrências. O principal perigo da depressão severa é o suicídio, que sinto ser, em todas as circunstâncias, trágico – tirar a própria vida por causa de uma enfermidade que tem cura.

RESPONSABILIDADES DO ANALISANDO

Pouco tem sido escrito a respeito das responsabilidades do analisando com relação ao analista, quando se considera a atenção que tem sido dedicada às responsabilidades éticas e legais do analista.[44]

De fato, o analisando tem a responsabilidade evidente de comparecer pontualmente às sessões e de pagar a conta de modo regular. Além disso, tem a seu cargo a responsabilidade de trabalhar com dedicação na análise, o que implica dar uma estreita e cuidadosa atenção ao seu próprio material. Isso incluirá o registro de sonhos e de associações pessoais feitas às imagens oníricas e, por vezes, a produção de desenhos, pinturas e objetos de argila ou de outro material.

"Trabalhar", nesse sentido, não equivale a "esforçar-se". Para ambas as partes envolvidas, o trabalho analítico requer concentração disciplinada e desenvolvimento de habilidades específicas, tal como a "atenção em livre fluxo", nas quais a consciência joga com várias possibilidades; isso permite que o material inconsciente aflore para fins de exame consciente, com mais eficiência que o "esforçar-se", que pode até inibir o acesso ao inconsciente. O analisando tem, acima de tudo, a obrigação de revelar materiais emocionalmente importantes e dar essa informação, voluntariamente, logo que puder, para minimizar a tendência de furtar-se a tratar de questões centrais.

Alguns materiais só podem ser coletados pelo analisando, como ocorre com a anotação de sonhos, lembranças do passado e associações pessoais. Embora não se possa acusar nenhum paciente por ter-se esquecido de sonhos, é correto reprová-los por não fazerem todos os esforços para lembrar – por exemplo pela colocação de material para registro por escrito ou em gravação disponíveis quando forem dormir. O paciente não tem responsabilidade pelo respeito a formas comuns de interação social com o analista *no âmbito do temenos da análise*. Fora do *temenos*, contudo, o paciente tem as mesmas responsabilidades do analista, que inclui, por exemplo, a não divulgação de material analítico – tais como as observações e interpretações do analista – sem permissão da outra parte. Assim como o analisando espera que o analista não faça observações casuais ou julgamentos a seu respeito a outras pessoas, o analisando deve demonstrar o mesmo respeito pelo analista.

Os analistas não fazem mexericos a respeito dos pacientes e, inversamente, estes não devem fazer mexericos a respeito dos analistas. Em situações nas quais vários analisandos são conhecidos uns dos outros (o que não é incomum em muitas comunidades), uma observação casual de um paciente a respeito de um analista comum pode dar a impressão de conter um conhecimento secreto a respeito do analista e pode interferir com a terapia da pessoa a quem o comentário é dirigido. Os sentimentos de transferência e de contratransferência fazem parte do *temenos* da análise, no âmbito do qual podem gerar uma poderosa compreensão. Se forem dissipados fora do *temenos,* toda a estrutura assim como todos os resultados da análise podem ser prejudicados. A confidência é responsabilidade do analista e do analisando.

O CAMPO DE TRANSFORMAÇÃO

Jung utilizou um diagrama simples para ilustrar a dinâmica psicológica dos relacionamentos, com menção particular à situação analítica.[45] Como mencionamos, a transferência e a contratransferência (T/CT), as distorções perceptivas mais ou menos inconscientes do analisando e do analista, respectivamente, constituem uma maneira abreviada de fazer referência às interações psicológicas que compõem o campo transformativo.

Além da relação inconsciente entre analista e analisando, em cujo nível o contrato terapêutico estabelece as condições de delimitação, há a relação entre cada pessoa e seu lado contrassexual. O analista, quando do sexo masculino, tem uma relação com sua *anima* quando interage com uma paciente; o paciente, quando do sexo feminino, tem uma relação com seu *animus*, assim como com o analista. Além disso, a *anima* e o *animus* também interagem diretamente, em larga medida, num nível inconsciente. Assim, Jung observou que, em toda conversação entre um homem e uma mulher, há pelo menos quatro pessoas envolvidas. Esses relacionamentos, que podem ser confusos quando nos deparamos com eles pela primeira vez, podem ser demonstrados em forma de diagrama. Observe o diagrama a seguir.

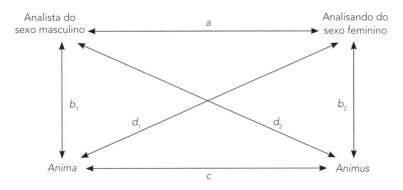

O campo de transformação: a = relação consciente; b_1 = a relação do analista com seu inconsciente; b_2 = a relação do analisando com seu inconsciente, um foco essencial do trabalho analítico; c = a relação inconsciente entre a *anima* do analista e o *animus* do analisando do sexo feminino; d_1 = o *animus* do analisando em relação ao ego consciente do analista; d_2 = a *anima* do analista em relação ao ego consciente do analisando.

Nesse modelo de relacionamento terapêutico, que Jung fundamentou numa série de ilustrações alquímicas,[46] parece haver uma simetria absoluta entre analista e paciente. Isso é enganoso, pois o diagrama foi concebido, essencialmente, para ilustrar a igualdade que há entre o alquimista e sua colaboradora, sua *soror mystica* (irmã mística). Quando aplicado ao campo de transformação T/CT, o modelo em questão requer duas modificações:

1) as condições de delimitação, uma vez fixadas por consenso, ficam mais sob a responsabilidade do ego consciente do analista;
2) o analista assume uma responsabilidade mais ampla para lidar com a atividade do seu próprio inconsciente, de modo a criar um espaço livre e protegido no qual o analisando possa vivenciar com segurança o material inconsciente que reprimiu nas situações comuns da vida.

As pessoas que iniciam a análise não devem se preocupar com os fenômenos da transferência. Apaixonar-se pelo analista não é comum. As distorções da transferência costumam ser sutis ou visíveis apenas em sonhos. A transferência pode ser positiva ou negativa. Um dos perigos reais da transferência negativa é o fato de o paciente, já de início, estar sujeito a sentir que o analista não lhe dá apoio suficiente e querer mesmo interromper a terapia. A percepção do analista como alguém que não dá apoio costuma ser uma projeção das próprias tendências de autorrejeição do paciente, e constitui um objeto adequado de análise. De fato, um analista considerado especialmente encorajador pode gerar mais dificuldades para que o paciente compartilhe material sensível do que aquele que é percebido como claramente neutro.

Embora na maioria dos casos a transferência se desenvolva no curso da análise, seria errôneo pensar em exigir um período fixo de tempo para tornar-se evidente. Algumas pessoas chegam à análise com uma transferência já ativa antes de transporem a porta do consultório. Isso é particularmente verdadeiro se o analista já for conhecido em termos de reputação ou pelo fato de ter feito palestras públicas. A situação inversa também pode se verificar – o fato de o paciente ser conhecido pelo analista antes do primeiro encontro. Em ambos os casos, as duas partes devem estar preparadas para abandonar suas impressões prévias para permanecerem abertas à exploração da mente do analisando.

Uma das demonstrações mais impressionantes dessa necessidade de manter uma atitude neutra ocorreu quando um companheiro de colégio me consultou profissionalmente. Sempre pensei que o conhecia bem e o considerava uma das poucas pessoas que levava a vida de maneira natural e feliz, sem preocupações descabidas com relação às opiniões dos outros. Essa impressão superficial se modificou nos primeiros minutos da nossa entrevista profissional, quando ele me contou, de maneira tocante, sobre seu prolongado estado depressivo. Em outra notável experiência, um ex-professor dos meus anos de escola me consultou profissionalmente. Como adolescente, eu o respeitara e admirara, sem jamais imaginar que ele sofria dos problemas que me revelou no consultório. Ao longo de um extenso período de análise, passei a admirá-lo de modo mais profundo – pela coragem que demonstrava ao ser honesto consigo mesmo a respeito dos seus sentimentos e limitações.

O campo definido pela T/CT pode muito bem ser chamado campo de transformação, pois é invariavelmente verdadeiro que o analista se transforma junto com o analisando. Com efeito, uma das fortes motivações inconscientes para que alguém se torne analista junguiano consiste no fato de se saber instintivamente que a própria psique necessita de uma enorme quantidade de trabalho, talvez muito maior que a quantidade passível de ser obtida mesmo numa prolongada análise junguiana. O campo transformativo da T/CT imerge o analista numa corrente, continuamente enriquecida, de experiências pessoais com analisandos, ativando nele materiais que requerem uma atenção psicológica disciplinada e constante.

Há uma imagem mitológica repetitiva, expressa, por exemplo, na história de Quíron (o centauro, mestre de Esculápio). Segundo essa imagem, antes de termos condições de curar alguém, é necessário que tenhamos passado pela experiência de ser feridos – isto é, devemos ter tido um conhecimento direto do que é estar sofrendo e do que é buscar a cura. Segue-se que a cura das feridas dos outros produz um efeito terapêutico recíproco nas próprias lesões dolorosas daquele que cura. Como a dor neurótica é muito comum, há poucas possibilidades de que o analisando encontre um analista que não tenha passado pessoalmente pela experiência do ferimento psicológico. Na verdade, é discutível que aqueles que não tenham sido forçados à submissão pela sua própria psicologia não sejam bons candidatos ao treinamento como analistas.

Uma paciente sonhou que sua imagem estava sendo gradualmente entalhada numa montanha de gelo por meio de flechas flamejantes atiradas pelo seu amado. Essa lenta e gradual emergência da própria imagem também descreve o sutil, mas inevitável efeito reflexivo que exercem sobre o analista as múltiplas análises de que ele ou ela participa. Todos somos humanos e o campo de transformação da T/CT é apenas uma maneira especializada do efeito mutuamente transformador de toda interação humana – um efeito representado da forma mais vívida na imagem arquetípica da *coniunctio,* o casamento alquímico.

Se o analista estivesse completamente afastado do mundo do paciente, num local seguro e transcendente, nenhuma análise efetiva poderia ocorrer. E se o analista estivesse por demais próximo do paciente, se a força da T/TC fosse grande demais, a perda de fronteiras levaria a análise à interrupção. Numa certa medida indefinível, a relação entre analista e analisando é um verdadeiro campo de transformação para ambos os participantes. Como essa medida é indefinível e mutável, a análise permanece tanto uma ciência *quanto* uma arte, tal como Jung a descreveu – uma relação pessoal no âmbito de um quadro profissional de natureza impessoal.[47]

A RAZÃO TERAPÊUTICA

Jung é desconsiderado com tanta frequência, e de maneira tão superficial, como místico (particularmente por terapeutas de orientação biológica), que é surpreendente, para muitos, saber que, quando do Congresso Internacional de Psiquiatria, realizado em Zurique nos últimos anos de sua vida, ele foi escolhido como presidente honorário da sessão que se dedicou à possível base biológica da esquizofrenia. Isso ocorreu como modo de reconhecimento da teoria junguiana de que a esquizofrenia (o termo "esquizofrenia" foi cunhado pelo professor de Jung, Eugene Bleuler) era o resultado de uma certa "toxina X", ainda não descoberta na época.[48] Jung era plenamente científico em sua abordagem, mas preferiu dedicar-se a uma gama de fenômenos naturais mais ampla que aquela tratada pela ciência materialista ortodoxa.

Ao discutir a esquizofrenia, Jung sugeriu duas amplas categorias:

1) a situação na qual uma estrutura consciente normal é suplantada pelo peso de uma pressão excessiva do inconsciente, e
2) a situação contrária, na qual uma quantidade comum de pressão vinda do inconsciente pode suplantar uma estrutura do ego excessivamente fraca.[49] Essa classificação permite a discussão da esquizofrenia e, por implicação, da neurose e de transtornos psicológicos menores, em termos de uma razão terapêutica.

Se o ego tem uma força média e o inconsciente não está excessivamente ativado, um nível razoável de saúde psicológica se manifestará. A razão entre a força do ego e a pressão do inconsciente será, nesse caso, maior do que um. Se se verificar o oposto, com a pressão do inconsciente maior que a força do ego, a razão será menor do que um; algum tipo de transtorno mental se manifestará, variando entre uma ansiedade suave e a severa doença mental, passando pela neurose.

Um aumento do numerador (a força do ego) aumenta a razão terapêutica. Esse aumento pode ocorrer por meio da terapia de apoio comum, ou por sessões analíticas mais frequentes ou, talvez, pelo modo mais extremo de apoio externo, a hospitalização. O denominador da razão terapêutica pode ser reduzido, alterando outra vez o balanço de forças na direção da estabilidade (razão maior do que um), pela redução da pressão do inconsciente. Isso pode ser feito, por vezes, pela psicoterapia que leve quer a uma percepção da ansiedade ou da depressão, quer a uma disposição para tolerá-las. A pressão do inconsciente também pode ser eficazmente reduzida pelo uso de medicação, que deve ser aplicada por um curto período.

MEDICAÇÃO

Uma compreensão da razão terapêutica, derivada do modelo junguiano da esquizofrenia, permite uma abordagem racional do uso da medicação na análise junguiana. Alguns junguianos assumiram a posição extrema de que a medicação jamais deve ser usada na análise, que ela interfere com a "passagem" do paciente pela enfermidade, que leva à compreensão oculta do quadro sintomático. Não considero essa posição extrema antimedicação correta, operacional ou humana. A medicação pode ser uma grande ajuda ao progresso da análise junguiana, quando usada de modo habilidoso e criterioso.

Há um grau normal de alerta que, se exagerado, pode se transformar em ansiedade. Por outro lado, pouco alerta produz letargia. No nível médio de alerta – mais do que letargia e menos do que ansiedade –, pode ocorrer o trabalho analítico útil. Se um excesso de letargia levar o analisando a ficar abaixo do nível de alerta, o uso moderado de tranquilizantes pode fazer o funcionamento voltar ao nível normal, por conseguinte, permitindo o prosseguimento da análise. A mesma lógica se aplica à depressão excessiva, que, pela medicação cuidadosa, também pode dar lugar ao nível médio, facilitando o trabalho psicológico produtivo e útil. Há ainda menos razões para questionar o uso de remédios antipsicóticos quando necessário.

Os analistas junguianos que também têm formação médica variam em termos do uso de medicação ao mesmo tempo em que é feita a análise. Eu uso muito pouca medicação, talvez em dez por cento da minha prática. Os analistas que não são médicos costumam trabalhar junto com um médico, ou com um analista-médico, quando é necessário usar medicação. Tudo o que pode ajudar também pode prejudicar. O analisando deve assumir a responsabilidade pelo uso da medicação nos termos precisos de sua prescrição, de modo a minimizar o perigo de manifestação de efeitos colaterais indesejáveis.

O nó de Leonardo, feito com um único fio, é um meandro contemplativo que, quando desenredado, leva ao cerne da nossa natureza. (*Concatenação*, Escola de Leonardo da Vinci, entalhe. Itália, *circa* 1510)

Capítulo 5

O PROCESSO
DE ANÁLISE

O verdadeiro curso da análise é de difícil descrição. Tal como o próprio processo de individuação, o curso da análise pode assemelhar-se a um caminho emaranhado de um labirinto. O curso da análise, tal como o curso da própria vida, encontra-se em contínua transformação, de acordo com a emergência imprevisível de novas e diferentes maneiras de ser.

Essa abertura a possibilidades novas e criativas constitui a essência da análise. Ela também pode ser assustadora, pois um ego neurótico, ao mesmo tempo que afirma desejar a liberdade de ser ele mesmo, na verdade procura descobrir a verdade no espaço protegido da análise. O analista não exige que nos comportemos desta ou daquela maneira. Somos livres para falar do presente ou do passado, do mundo interior ou do mundo exterior da vida cotidiana. O assustador, para muitos analisandos, *é o fato* de essa liberdade revelá-los tais como são, sem suas costumeiras ilusões protetoras, mas aprisionadoras, a respeito de si mesmos e dos outros.

Na maioria dos casos, como mencionamos anteriormente, trata-se da ansiedade da sombra, o medo de que a sombra, aquele lado "sombrio" tão pouco conhecido do ego, seja revelada subitamente como o núcleo da personalidade. Isso, na verdade, não pode acontecer, já que os conteúdos da sombra não passam de aspectos da pessoa que poderiam estar alojados no ego ou na *persona*, mas foram relegados à sombra porque o ego, em seu próprio julgamento, considerou inaceitáveis os impulsos da sombra, quando do seu surgimento. A integração da sombra, que significa a retomada de aspectos da personalidade que estavam "perdidos" enriquece inevitavelmente o ego.

Um homem que participava de terapia de grupo, casado e com filhos em processo de amadurecimento, ficou aterrorizado em admitir para o grupo que estava tendo sentimentos de natureza sexual com relação a uma das mulheres do grupo. Tão logo confessou essa "terrível" verdade, ficou vermelho como um pimentão, ocultou a face nas mãos e se debruçou na cadeira, esperando uma ampla desaprovação por parte dos demais membros do grupo. Contudo, a mulher com relação à qual ele manifestara seus sentimentos sexuais apenas ficou feliz por ele tê-la considerado desejável, ao passo que os outros membros consideraram seus sentimentos perfeitamente normais.

Conforme foi descobrindo o rosto e passou a encarar as verdadeiras reações do grupo, em lugar de sofrer com as fantasias a respeito da desaprovação deste, ele foi capaz de modificar em alguma medida seu julgamento primitivo e excessivamente negativo a respeito de si mesmo. Seu autojulgamento negativo, por ter sentimentos sexuais normais, estava ligado, em sua mente, ao seu pai punitivo e moralista, embora mesmo sua experiência do pai fosse diferente da experiência do seu próprio irmão; o irmão havia se rebelado contra o pai na adolescência, ao passo que o homem do grupo de terapia havia se mantido subserviente à imagem que fazia do pai.

O processo imprevisível da análise é problemático para a lógica da mente consciente, que preferiria que as dificuldades da personalidade fossem abordadas como um problema a ser resolvido. A expectativa de que o processo de crescimento da psique, profundamente inconsciente, possa ser dirigido com a atitude de um mecânico de automóveis é simplesmente uma corriqueira concepção errônea da análise. A psique é um organismo vivo e a interação com ela assemelha-se a um diálogo com outra personalidade, uma personalidade que pode até mesmo falar outra língua. Isso cria uma complicação adicional na análise, caso o paciente se torne autocrítico a respeito de sua incapacidade de compreender e corrigir imediatamente as áreas problemáticas quando estas são identificadas.

A tarefa de influenciar os próprios processos psicológicos tem, na realidade, a ordem de complexidade da aprendizagem de uma língua estrangeira. É de esperar a ocorrência de entendimento incompleto, pronúncias imperfeitas e escorregões embaraçosos. Uma atitude de crítica aberta com relação a si mesmo é um componente básico da neurose. Mas a revelação dessa atitude a torna acessível ao campo transformativo da análise e é, na realidade, uma causa de contentamento, e não de depressão.

O PRIMEIRO PASSO: AUTOEXAME

O processo de análise se desenvolve por meio de expediente simples de examinar, da maneira mais honesta possível, o material que surge da vida diária do paciente, de sua história pregressa, dos sonhos e de sua interação T/CT com o analista. Subjacente a todo o processo, há uma contínua pressão do Si-mesmo arquetípico no sentido de levar o ego a passar pelo processo de individuação. As condições de delimitação da análise isolam essa exploração, de modo efetivo, das repercussões imediatas no mundo cotidiano.

De certa maneira atuamos na situação analítica como antropólogos de nós mesmos, elaborando novas teorias a respeito do sentido de que se reveste nosso próprio comportamento. A auto-observação analítica, mesmo realizada com a ajuda do analista, requer tanto coragem moral quanto capacidade de percepção, ingredientes essenciais do trabalho bem-sucedido no âmbito da análise.

O SEGUNDO PASSO: COMPAIXÃO POR SI MESMO

A observação "antropológica" neutra de si mesmo evita a autocrítica excessiva imediata que se configura como componente central da atitude neurótica. Mas a autocrítica de modo algum deve ser evitada; deve-se, tão somente, amadurecê-la. A autocrítica primitiva é rude e rigorosa, dividindo o mundo entre pessoas boas e más (sendo comum que o próprio ego secreto figure entre as pessoas más). Uma demarcação demasiado rígida entre ego e sombra é o resultado dessa crítica tão severa.

O antídoto para a severa autocrítica neurótica é uma atitude compassiva em relação a si mesmo. Embora pareça ser a coisa mais natural do mundo, essa atitude é extremamente difícil para muitas pessoas neuróticas. Às vezes, a ajuda a uma consideração compassiva em relação a si mesmo consiste em a pessoa imaginar-se na idade em que teve início uma dificuldade particular. Se um sonho, por exemplo, mostra o ego onírico como uma criança de 5 anos que passa por uma situação assustadora, essa imagem pode ser uma *afirmação* simbólica de uma dificuldade que surgiu na mente quando o sonhador tinha 5 anos de idade. A discussão desse período da vida pode esclarecer uma situação que se configurou como traumática para o paciente na época em questão. Assim sendo, pode ser útil a pessoa imaginar-se com essa idade, sentindo a compaixão que se manifestaria naturalmente quando ela confortasse uma criança assustada no presente.

Se seguissem realmente a injunção bíblica de "amar ao próximo como a si mesmo", as pessoas neuróticas seriam intoleráveis, já que tratariam o próximo com a mesma autocrítica severa que infligem interiormente a si mesmas (e, com muita frequência, àqueles que se encontram emocionalmente próximos delas).

ESTÁGIOS DO PROCESSO ANALÍTICO

Toda afirmação a respeito de estágios do processo analítico deve ser feita com a clara compreensão de que, tal como o caminho emaranhado do labirinto, o processo analítico não é linear, mas circunvolutivo. Tal como ocorre com a individuação, pode haver afirmações gerais estatisticamente verdadeiras a respeito de um grupo de pessoas, mas toda descrição estatística é, simplesmente, uma declaração de probabilidade; é possível que nenhuma pessoa real corresponda precisamente à norma estatística.

Não obstante, é possível falar de estágios *prováveis* do processo analítico, mesmo que, na prática, para toda pessoa que se encontre em análise, eles possam se manifestar numa ordem diversa. Podemos dividir esses estágios em: análise e síntese.

O estágio analítico

No período inicial da análise, o trabalho primário consiste em estabelecer a fronteira, o *temenos* analítico, no qual a análise se desenvolverá. Isso envolve o acordo consensual entre paciente e analista em torno dos termos contratuais do seu trabalho comum, o estabelecimento de uma escala de encontros etc. De um ponto de vista estrutural, trata-se do estágio de *trabalhar por meio da persona*.

O paciente deve mostrar-se disposto a revelar-se ao analista da maneira como acredita realmente ser, pelo menos em um grau maior que o manifestado nas relações comum. Isso deve ser alcançado sem que o paciente espere uma revelação recíproca por parte do analista, pois a reserva profissional do analista é precisamente o elemento que, em larga medida, cria o espaço livre e protegido no qual a máscara da *persona* pode ser retirada e no qual a psique do paciente pode desvelar-se de maneira segura. Com a aceitação não crítica por parte do analista, fica claro que a rejeição que a pessoa teme que os outros manifestem é, na realidade, a autorrejeição, que costuma ser projetada no mundo exterior.

A parte da *persona* que se encontra sob o controle consciente do paciente pode ser facilmente deixada de lado. Não é incomum que um novo paciente, na primeira entrevista, revele segredos sombrios que jamais foram contados a quem quer que seja. Às vezes, esses segredos têm um conteúdo tocante – algo como roubar algum pequeno objeto de uma loja, na infância – mas podem ser tão sérios quanto o fato de ter um filho com alguém sem o conhecimento do cônjuge.

Torna-se gradualmente claro que a parte mais profunda da *persona* não pode ser facilmente deixada de lado, mesmo de propósito. O paciente saberá algo que é importante para a análise, mas o ocultará, talvez durante meses. Assim, o paciente torna-se consciente da resistência interior à análise, apesar do espaço livre e aberto no âmbito do *temenos* formado pelas fronteiras analíticas. Quando encontradas, as resistências revelam pontos nodais nos quais há crises de autoimagem. Não é a crítica do analista que é verdadeiramente temida, nem a crítica dos demais membros do grupo de psicoterapia; é, mais uma vez, o severo autojulgamento interior. *Percebê-lo é ficar face a face consigo mesmo como o verdadeiro problema.*

A relutância em permitir que o analista veja por trás da *persona* pode vir de um sentimento de que podemos ser incapazes de recuperar a *persona* fora da situação analítica, tendo em vista que a *persona*, em muitas situações, seria apropriada ou mesmo essencial. Trata-se de um temor sem fundamento. Uma pessoa capaz de deixar a *persona* de lado quando esta *não* é apropriada não perde a habilidade de utilizá-la quando ela o é. Com efeito, a capacidade de vestir a *persona* da maneira como ela deve ser usada – como um conjunto de roupas que nos veste de modo apropriado para uma dada ocasião sem esconder a pessoa real que a veste – é uma valiosa aquisição e marco de uma análise bem-sucedida. Mesmo quando o analisando adquiriu a habilidade de deixar a *persona* de lado durante a análise, essa mesma habilidade deve ser integrada em situações fora da análise; por exemplo, em relações íntimas (embora não em todas as situações sociais ou relacionamentos).

Depois do estágio da permeabilidade da *persona* na análise, a próxima tarefa é a *identificação e a integração da sombra*. Isso ocorre naturalmente, pois a sombra é parte daquilo que é revelado por trás da *persona*. De fato, a existência de uma sombra é uma das razões da elaboração da *persona*. *Persona* e sombra surgem juntas na infância, como resultado da classificação dos comportamentos em aceitáveis e inaceitáveis do ponto de vista daquilo que a criança verdadeiramente deseja ou está disposta a rejeitar.

Em geral, a sombra é de fácil identificação. Basta olhar para a pessoa mais próxima do mesmo sexo que apresente características de que realmente não gostamos ou que desaprovamos. Como boa parte da sombra pode ser potencialmente integrada ao ego, esta traz, em geral, nos materiais de sonhos e de fantasias, a mesma identidade sexual do ego.

A perene surpresa que vivenciamos ao conhecer nossa própria sombra se explica pelo fato de esta não se configurar totalmente indesejável. Praticamente, sem exceção, a sombra contém algumas qualidades necessárias ao avanço do crescimento da personalidade. A afirmação normal costuma ser reprimida na sombra, tal como ocorre com a capacidade de expressar livremente o afeto – se essa expressão tiver sido vivenciada como indesejável ou perigosa na infância. Com efeito, há alguns aspectos da sombra que ainda serão considerados inaceitáveis pela mente adulta do analisando (embora estes tendam a se reduzir ao longo da análise). Há também níveis arquetípicos da sombra que não são passíveis de integração sem uma severa ruptura do ego, mas esses níveis não surgem no curso comum do tratamento analítico dos problemas neuróticos.

Tanto a *persona* como a sombra podem ser consideradas, em larga medida, extensões do ego, podendo ser integradas num grau significativo. Mas a próxima camada da psique, a *anima* num homem e o *animus* numa mulher, é bem mais difícil de perceber. Tal como a *persona*, a *anima* e o *animus* são estruturas relacionais, que ligam a esfera pessoal do ego às camadas mais profundas da psique objetiva (o inconsciente coletivo) ou, se forem projetadas para o exterior, que ligam o ego a aspectos do mundo da consciência coletiva. *A integração da anima ou do animus* é um passo importante e difícil, em larga medida porque estes costumam ser vivenciados de maneira projetada. A paixão por uma pessoa ou um sentimento de fascínio com relação a ela, normalmente do sexo oposto, costuma ser a primeira evidência de projeção do *animus* ou da *anima*. A pessoa em quem a *anima* ou o *animus* são projetados pode ser o analista, mas não necessariamente.

A *anima* ou o *animus*, sob uma forma não projetada, são facilmente descobertos em materiais oníricos, e esse é um dos mais eficientes meios de obter uma percepção dessas figuras do espírito. A *anima* e o *animus* são particularmente ativos nas situações interpessoais, mas estas são igualmente os locais em que sua percepção atinge o maior grau de dificuldade. Além disso, tanto a *anima* quanto o *animus* podem assumir formas positivas e negativas. Em sua forma natural e positiva, eles facilitam a vinculação fora da esfera pessoal do ego. Em sua forma neurótica e negativa, contudo, eles se tornam coordenadores das defesas neuróticas que protegem o ego do perigo, ao mesmo tempo que excluem o ego do crescimento, do relacionamento e do amor.

O próprio Jung vivenciou a *anima* em meio às dificuldades de integração de sua função de sentimento. Bem cedo em sua vida ele teve, por meio da imaginação ativa, diálogos com sua *anima* personificada, com o propósito de entrar em contato com seu sentimento inferior. Mais tarde, como me disse Marie-Louise von Franz, ele não precisou dessa interação imaginária com a *anima*; aquilo que a *anima* costumava dizer-lhe na imaginação ativa ele já conhecia como um sentido direto dos seus próprios sentimentos e emoções. Trata-se do resultado natural da integração bem-sucedida da *anima* ou do *animus*.

Jung por vezes escreveu de um modo que dava a impressão de que a *anima* continha o sentimento inferior de todos os homens (como o fizera inicialmente com relação a ele), ao passo que o *animus* continha o pensamento inferior das mulheres. Isso sem dúvida costumava ser verdadeiro para aquelas pessoas criadas no âmbito da cultura suíça tradicional, que constituíam a base das observações de Jung para fins de formulação empírica dos conceitos de *anima* e *animus*. Naquela sociedade marcadamente conservadora, os homens realmente eram identificados, em larga medida, com suas realizações sociais e intelectuais externas, com poucas possibilidades de desenvolverem seu sentimento, ao passo que às mulheres cabia boa parte do lado sentimental da família e dos relacionamentos, tendo elas poucas oportunidades de desenvolver seu lado do pensamento no mundo exterior. Mas, nos dias de hoje, numa variedade de situações culturais muito diferentes entre si, vemos muitas constelações da *anima* e do *animus* amplamente diferentes daquelas que Jung descreveu.

Resolvi esse dilema teórico, pelo menos em termos que satisfizeram a mim mesmo, pela ênfase no papel semelhante da *anima* e do *animus* no alargamento da esfera pessoal do mundo do ego. O *conteúdo* específico da *anima* ou do *animus* depende daquilo que a cultura, incluindo-se aí a subcultura do sistema familiar original, enfatiza como masculino ou feminino num dado momento e local.

Uma das minhas pacientes observou certa vez que, quando estava no colégio, uma garota que não fosse virgem não o admitiria; mas na época de sua graduação, uma garota que *fosse* virgem não o admitiria. Os costumes culturais mudaram de tal modo, que uma adaptação saudável no início da vida pode se tornar, mais tarde, uma não adaptação (apenas em um sentido coletivo). Aquilo que era verdadeiro em termos sexuais para essa paciente é verdadeiro, sob formas mais sutis, para muitas pessoas na cultura moderna. Como a individuação é o processo básico e se reveste de uma natureza muito pessoal, a não adaptação à norma social não significa necessariamente que a pessoa não se encontra no caminho correto da individuação.

O marco da forma negativa e defensiva da *anima* ou do *animus* é a natureza não pessoal e geral das observações críticas feitas às outras pessoas, normalmente àquelas pessoas com as quais se tem proximidade emocional (já que as que se encontram afastadas podem ser tratadas, simplesmente, por meio da *persona* polida). O ato de ouvir a sutil mudança na *anima* ou no *animus* requer um ouvido treinado, embora muitos analisandos, uma vez que o reconheçam em si mesmos, sejam capazes de identificá-la com sensibilidade em outras pessoas. Os participantes do processo de terapia de grupo aprendem a se ajudar mutuamente no sentido de virem a se tornar conscientes desse modo de intercâmbio defensivo. Trata-se igualmente da principal parte do trabalho com casais na terapia conjugal. Ouvir um intercâmbio defensivo entre a *anima* e o *animus*, em sua forma bruta, faz a luta entre gato e cachorro parecer um chá beneficente.

O estágio da síntese

Quando o analisando tiver identificado e integrado, em alguma medida, a *persona*, a sombra e a *anima* ou *animus*, uma parte considerável do trabalho terá sido realizada. O estágio da síntese envolve o trabalho, assim como a integração na vida diária, com as percepções realizadas no decorrer do estágio de trabalho analítico intensivo. O processo de integração pode ser bem mais prolongado que a fase mais analítica de diagnóstico, e afeta imperceptivelmente o uso de novas percepções na vida cotidiana comum do analisando.

Aquilo que se descobre na maioria das situações analíticas junguianas é o fato de que a pessoa tem sido muito mais influenciada por suposições e motivações inconscientes do que tinha percebido até então. Os processos inconscientes costumam exibir um caráter defensivo, destinado a proteger a identidade dominante do ego (a qual, recordemos, não equivale ao ego propriamente dito) de experiências que ameacem a manutenção dessa imagem. A pessoa também chega a perceber que o ego não se encontra sozinho na psique, e que ele certamente não se configura como o mestre de toda a psique, mas tão somente como ponto central de referência do consciente – o que não é tão pouca responsabilidade assim!

Paradoxalmente, à medida que as formas específicas da *persona*, da sombra e da *anima* ou *animus* são identificadas e integradas, o ego se fortalece, tornando-se mais abrangente e, ao mesmo tempo, mais humilde. Além dessas figuras da esfera da *persona*, tanto consciente como inconsciente, repousa o reino mais profundo do inconsciente coletivo, ou *psique objetiva,* que constitui a origem do inconsciente pessoal e o transcende. O ego aprende gradualmente que se encontra relacionado com forças da psique que pode sentir intuitivamente, e às quais pode até mesmo responder, mas que não pode compreender ou controlar. No centro do nível não pessoal da psique encontra-se o Si-mesmo, o arquétipo central da ordem, que é o verdadeiro centro coordenador da psique como um todo, expressando-se ao ego sob várias maneira, incluindo-se entre elas a composição de sonhos.

O Si-mesmo é o local em que tem origem a *função transcendente,* termo utilizado por Jung para designar a capacidade de produção dos símbolos de que a psique é dotada.[50] "Transcendente", nesse sentido, não significa transcendental (embora a natureza transcendental do Si-mesmo constitua uma reivindicação legítima, particularmente à luz dos fenômenos parapsicológicos). A função transcendente é a capacidade de superar a tensão entre os opostos mediante a criação de uma forma simbólica que transcende o nível da tensão. Embora esse processo seja sutil, não é difícil entendê-lo de modo metafórico.

Já discutimos a tensão entre os opostos, embora não a tenhamos designado por esse nome, em termos do reconhecimento da sombra e da *persona* e de sua integração parcial por parte do ego. A sombra e a *persona* constituem, em si mesmas, uma tensão entre opostos: a sombra é aquilo que o ego não deseja reconhecer, a *persona* é aquilo que ele pode reconhecer mesmo que duvide que possa mostrar-se efetivamente à altura da imagem que a *persona* apresenta às outras pessoas. O ego é o último porteiro a entrar em ação; ele pode tentar defender a via, mas com pouco sucesso. Aquilo que vem à mente da pessoa não é necessariamente o "próprio" pensamento dela – trata-se de algo que pode vir de outra parte da psique que se encontra fora da parte integrada da esfera pessoal. Todavia, somos responsáveis por aquilo que fazemos, e a função do ego determina que ação, se houver alguma, deve ser realizada.

Mas o que faz o ego se houver tendências opostas entre si pedindo para se realizarem em termos de ação? Nesse ponto, o ego é obrigado a desempenhar um dos seus mais valiosos e heroicos papéis – manter a tensão entre os opostos sem deixar que nenhum deles se manifeste no mundo como ação. Trata-se de uma tarefa que provoca um grande desconforto no ego, que é projetado para interagir de maneira natural no mundo. Mas é preciso realizá-la. Quando a tensão dos opostos é retida de maneira bem-sucedida, a psique está pronta para manifestar a função transcendente, permitindo que haja uma solução simbólica onde nenhuma solução lógica é possível. Essa foi a razão pela qual Jung considerou a função transcendente um *tertium non datur,* "o terceiro não dado logicamente". Essa solução com frequência toma a forma de uma mudança na estrutura tácita da identidade do ego, de maneira que a tensão entre os opostos já não é sentida em sua forma aguda. A tensão não é resolvida; é transcendida numa visão mais abrangente.

Um exemplo clínico e uma analogia podem ajudar a tornar clara essa ação. A analogia consiste nos três estados que a água pode assumir – sólido, líquido e gasoso – a depender da temperatura circundante; o gelo e o vapor podem ser considerados um par de opostos, embora sejam compostos pela mesma substância de base, a água. Se o gelo e o vapor fossem opostos no sentido psicológico, sua integração não seria a água na temperatura ambiente, depois de o gelo ter sido derretido pelo vapor e ambos, gelo e vapor, passassem a existir como líquidos. Esse seria um resultado demasiado lógico para a unificação de opostos. Na verdade, a integração desses opostos seria a existência compatível e simultânea da potencialidade de existência da "água" sob a forma de gelo, de vapor ou dos dois. A forma assumida pela água variaria em diferentes situações, a depender da forma apropriada em cada uma dessas situações.

Em um paralelo psicológico clínico, um paciente pode estar tentando integrar os opostos de atividade e passividade ou de *agressão* e adesão. Quando a tensão é enfocada pela primeira vez na consciência, costuma haver uma resistência à mudança –"Não podemos ser afirmativos *a todo momento!*". Essa observação é de uma mulher cuja timidez a impedia de chamar a atenção do balconista quando o troco estava errado! A integração desses opostos não produz um ponto intermediário entre eles – a água morna –, ela produz uma capacidade de expressão do oposto (ou de alguma combinação entre opostos) julgada apropriada do ponto de vista dos nossos verdadeiros sentimentos e da nossa verdadeira avaliação de uma situação particular num dado momento. A função transcendente produz no ego uma reintegração de opostos de natureza diferente e mais funcional.

À medida que a capacidade de lidar com a integração e a síntese de opostos progride, o analisando com frequência se torna mais consciente (talvez por meio da imagética onírica) da relação existente entre o ego e o Si-mesmo. Trata-se do sentido do centro da personalidade afastando-se das tensões do ego em sua tentativa desesperada de se apegar a uma dada identidade de si mesmo, ao mesmo tempo que a psique se abre para uma participação mais profunda no mundo e no contato com as outras pessoas. Pode haver, em seguida, o surgimento de um estágio de crescente consciência do próprio destino particular, acompanhada da liberdade de traçá-lo segundo padrões individuais.

A PRÓPRIA ANÁLISE COMO UM ESTÁGIO

Não se espera que a vida transcorra numa interminável análise. A atenção para com o inconsciente pessoal é necessária na análise junguiana formal, mais vai sofrendo uma redução à medida que a autointegração vai se aprofundando. Em nossa vida, jamais podemos nos livrar dos problemas decorrentes da nossa condição humana. Após completar uma análise bem-sucedida, os desenvolvimentos subsequentes da vida podem sugerir outra vez uma necessidade de observar com atenção os processos da psique e mesmo de recomeçar as sessões analíticas formais.

Há apenas uma resposta para a pergunta sobre a duração da análise formal: a análise deve durar o tempo que for necessário. Na seção a seguir, discutirei modos de determinar quando interromper ou encerrar a análise formal.

Sem recorrer à poesia ou à metáfora, é difícil descrever o produto final de uma análise junguiana bem-sucedida. No primeiro congresso junguiano a que compareci, em Zurique, Edward Whitmont se referiu ao final da análise bem-sucedida como *amor fati*, "amor ao próprio destino"– o fato de sermos capazes de viver com paixão e profundidade em todas as situações históricas em que nos encontrarmos. Como essas imagens são diferentes da imagem do ego que domina seu mundo, insensível às necessidades dos outros!

Falando a partir da imagética do Oriente, Miyuki apresentou as Estampas de Condução da Boiada, do Zen-budismo de uma perspectiva junguiana, oferecendo uma imagem metafórica para o final da análise.[51] Após a domesticação e condução, o gado (a mente natural) fica tão integrado que "desaparece" – o que, segundo penso, significa que ele passa a ser uma parte tão tácita da personalidade que já não é visível como entidade distinta na psique. Nesse ponto, a pessoa transformada retorna à sociedade, "com mãos que concedem dádivas", oferecendo aos outros aquilo que foi obtido por meio de sua própria jornada interior (veja a ilustração na página 151).

A conclusão bem-sucedida da análise junguiana nos devolve ao mundo como pessoas mais profundas e integradas, capazes de percorrer a estrada da individuação contando apenas com a contenção e orientação interiores, conforme a necessidade, das profundezas da nossa própria psique. Estamos mais próximos dos outros e mais abertos a eles e, simultaneamente, continuamos a ser – de maneira mais completa – aquela pessoa que de fato somos.

INÍCIO DA ANÁLISE/FIM DA ANÁLISE

É sempre mais fácil determinar quando uma pessoa deve iniciar a análise do que quando ela deve encerrá-la. Se há evidências de uma interferência neurótica com o progresso da vida, a análise é indicada. A análise também pode ser apropriada quando simplesmente queremos buscar um sentido e padrões mais profundos para a nossa própria vida.

A motivação mais forte para fazer análise vem, em geral, do sentimento de que estamos bloqueados ou, na verdade, de que estamos totalmente no final das nossas forças. Seremos especialmente mais capazes de suportar a carga emocional e financeira da análise se tivermos passado previamente pela experiência de recorrer em vão a outros caminhos. O sentimento de que "Posso fazê-lo sem a ajuda de ninguém" é resistente, tal como o é a tendência a intelectualizar os problemas emocionais que simplesmente não podem ser tratados apenas com a razão.

Algumas pessoas que se sentem atraídas pela análise junguiana relutam em iniciá-la por temerem que ela seja um processo interminável. Esse temor decorre da confusão entre o processo de autoexame, que *é* interminável, e o processo da análise junguiana formal, que pode ser encerrado ou interrompido sempre que o paciente desejar (embora isso não deva ocorrer sem que ele o discuta previamente com o analista).

Outros hesitam em iniciar a análise por ter medo de virem a se tornar dependentes do analista. Trata-se de uma fantasia que tem como base um *desejo* inconsciente de ser dependente. Todos temos esse desejo, baseados nas experiências positivas da infância, mas dificilmente ele é forte o bastante para constituir uma dificuldade na análise. Embora possa haver de fato um período de alguma dependência realista no início da análise, essa dependência em geral se dissipa rapidamente, uma vez que fique claro, pela análise, que na verdade é mais agradável ser independente e ter o controle da própria vida. Na vida verdadeiramente adulta, os episódios de dependência limitada podem ser aproveitados, na realidade, sem a evocação da fantasia da necessidade sufocante e irreversível de outra pessoa.

Quando chega a hora de encerrar a análise, o analista pode ter sentimentos de tristeza. Quando compartilhamos da vida de outra pessoa de maneira tão íntima, observando essa pessoa trabalhar com dolorosos complexos neuróticos, é provável que a nossa separação provoque o surgimento de sentimentos realistas de perda. No entanto, quando é apropriado encerrar a análise, e ambas as partes concordam, o sentimento dominante do analista se assemelha mais ao orgulho pleno do contentamento de ver seu próprio filho amadurecer e deixar a casa paterna. Essa experiência é também uma das verdadeiras gratificações de ser analista.

Quanto tempo deve durar a análise?

A análise deve durar o tempo julgado benéfico por ambas as partes. Esse tempo pode ser curto, encerrando-se quando a resolução de dificuldades situacionais e ambientais específicas ocorrer, ou pode levar anos.

Muitas pessoas que completaram com sucesso uma análise junguiana retornam posteriormente para retomar o processo – por exemplo, quando surge um problema importante em um novo estágio da vida. A análise se assemelha a lições da mais difícil de todas as formas de arte – a arte de compreender nós mesmos mais a fundo. Trata-se de uma arte que jamais é completamente dominada. A revisão de nós mesmos junto com outra pessoa sempre pode ser valiosa.

Quando o analista ou o analisando está pensando em encerrar a análise, há alguns problemas a serem evitados. Se houver boa-fé de ambas as partes, não é necessário antecipar grandes dificuldades. O analista ou o analisando pode introduzir o tópico para fins de discussão, devendo-se ter em mente um número de questões ao longo das sessões remanescentes.

Em primeiro lugar, os problemas com os quais a análise se iniciou foram resolvidos ou situados num contexto aceitável? Não é necessário que eles tenham sido "solucionados" no sentido comum, já que muitos problemas que a vida apresenta não podem ser resolvidos como se fossem enigmas.

Todavia, eles devem ser vistos numa perspectiva mais saudável, que os situe num contexto mais compreensível e aceitável. O movimento na análise costuma se distanciar de supostos problemas externos, aproximando-se da percepção de que o problema surge no interior de nós mesmos. Como disse o gambá Pogo, personagem de história em quadrinhos cômica hoje desaparecida (parafraseando a afirmação de John Paul Jones),* "Encontramos o inimigo e nós somos ele!".

---

* Oficial da marinha americana, de origem escocesa. (N. do T.)

Entrando na Cidade com Mãos que Concebem Bem-aventurança, a última das "Dez Estampas de Condução da Boiada" do Zen-budismo, representa o ponto culminante do processo de individuação: "E agora, tendo passado o estágio do Vazio, e tendo igualmente visto Deus no mundo da natureza, o indivíduo pode ver Deus no mundo dos homens. Misturando-se no mercado com os 'bebedores de vinho e magarefes' (publicanos e pecadores), o iluminado reconhece a 'luz interior' da 'Natureza de Buda', em todas as pessoas. Ele não precisa manter-se distante nem se deixar abater por um sentimento de dever ou de responsabilidade, nem seguir um conjunto de padrões de outros homens virtuosos ou imitar o passado. Ele se encontra em tamanha harmonia com a vida que se contenta em passar despercebido; em ser um instrumento, e não um líder. Ele simplesmente faz aquilo que julga natural. Porém, embora no mercado ele pareça ser um homem comum, algo acontece às pessoas com as quais se mistura. Também elas se tornam parte da harmonia do universo". – D. T. Suzuki. *Introdução ao Zen-Budismo*.

Em segundo lugar, há evidências de que alguma área problemática em pauta está sendo evitada? Não pode ser uma área identificada bem conhecida do analista e do analisando; essas áreas costumam ser de fácil identificação. Trata-se antes da possibilidade de que um complexo *em vias de desenvolvimento,* um complexo que tenta chegar à superfície na análise, esteja sendo evitado. Os sonhos costumam ser a melhor pista para uma situação dessas, razão pela qual é bom analisar certo número de sonhos depois de a questão do encerramento da análise ter sido levantada. O próprio inconsciente pode ter algo a dizer! Após decidir unilateralmente pelo encerramento da análise, um homem sonhou que estava derrubando uma cerca em torno de sua casa, mas viu tigres na rua. (Ele preferiu continuar a análise.)

Em terceiro lugar, há alguma reação emocional não expressa com relação ao analista, de tom positivo ou negativo? A transferência/contratransferência (T/CT) apresenta forças que podem estar agindo com grande potência e que por vezes não são do conhecimento do analista. Pode haver uma reação negativa a algo que o analista disse ou mesmo algo dito pelo analisando, a respeito do analista, fora da análise. O caráter desagradável de que se reveste a discussão de sentimentos negativos com relação ao analista nunca deve impedir a pessoa de apresentá-los ao analista. Os resultados sempre apresentam mais probabilidades de serem positivos que negativos. Pode ser, por exemplo, uma situação em que um complexo inconsciente do analisando esteja sendo projetado no analista e esteja produzindo uma reação que o encare como uma parte verdadeira do analista. É preciso falar sobre isso, tal como é preciso falar da situação inversa, em que o analisando sente que o analista está projetando inconscientemente. As projeções positivas não reconhecidas também podem levar o analisando a propor o encerramento prematuro da análise. Se o analisando estiver sentindo forte atração sexual pelo analista, essa atração pode ser reprimida por medo de violar as fronteiras analíticas caso as emoções sejam expressas. Mas os analistas em geral já vivenciaram reações de transferência em alguma medida em sua própria análise pessoal, quando estavam "na outra cadeira", e por isso não estão despreparados para lidar com esses sentimentos.

A consulta a outro terapeuta

Quando há dificuldades, expressas ou ocultas, na análise, o analisando pode sentir-se tentado a consultar outro analista sem o conhecimento do analista pessoal. Fazer isso seria uma violação da responsabilidade do analisando no sentido de manter e honrar as condições de delimitação da análise. Embora todos tenham o direito de procurar outro analista, não se deve fazê-lo sem antes ter discutido a dificuldade em questão com o atual analista. De qualquer maneira, a ética profissional determina que o terapeuta consultado recomende o retorno ao atual analista para que as dificuldades sejam discutidas pessoalmente. As condições de delimitação da análise se revestem de importância essencial, e devem ser respeitadas. Elas podem ser alteradas, mas isso só deve ocorrer após a discussão entre as partes.

Seguindo-se o modelo médico, uma consulta com outro terapeuta, uma segunda opinião, sempre é permitida. No entanto, a própria qualidade pessoal da interação analítica torna essa consulta menos útil que nas situações médicas, já que o consulente não pode ter, com o novo terapeuta, tanta compreensão tácita quanto tem com o analista pessoal. Não obstante, uma sessão com um analista escolhido de comum acordo pelas partes pode remover algumas manifestações de impasse terapêutico que poderiam encerrar prematuramente a análise.

O encerramento natural da análise

Considerando-se que com frequência não é possível dizer se a análise chegou a um ponto natural de encerramento, uma das técnicas utilizadas para determinar esse ponto consiste em fazer um acordo de interrupção da análise por certo período de tempo, por três meses, digamos, seguindo-se à interrupção uma retomada da análise por igual período. Como alternativa, os encontros podem ser marcados de modo crescente a intervalos maiores. Ambos os métodos permitem que o analisando experimente uma ausência da agenda analítica costumeira e pode revelar pontos fortes ou problemas que se afiguravam incertos no contexto das sessões regulares.

Se o analisando também fizer parte de um grupo de psicoterapia e tiver a intenção de interrompê-lo simultaneamente à interrupção da análise pessoal, o aviso dessa intenção deve ser dado ao grupo com pelo menos um mês de antecedência. Isso permite que os membros do grupo também avaliem se o paciente está pronto para deixar a análise. Os grupos muitas vezes atuam como indicadores sensíveis do estado mental da pessoa que está pensando em encerrar a análise. Certos membros do grupo podem precisar de tempo para dizer adeus ou para expressar um sentimento de perda pessoal caso o paciente que vai embora tenha sido especialmente útil.

Quando a análise junguiana se encerra, com a concordância entre analista e analisando, sem indícios de complexos ocultos ou não solucionados e com a opção de retomada da análise caso seja indicado futuramente, manifesta-se um sentimento de realização comum no analista e no analisando. A principal realização sempre é do analisando, mas o analista também pode sentir prazer com aquilo que foi realizado. Mesmo na época de um encerramento bem-sucedido da análise, pode não ser possível dizer com certeza o que levou a análise a ser "bem-sucedida". As personalidades inconscientes de ambas as partes envolvidas são participantes permanentes do processo; boa parte do crédito pertence também a elas.

Quando a análise se encerra naturalmente, a relação subsequente entre o analista e o analisando costuma tomar a forma de respeito mútuo. É improvável que haja projetos comuns ou uma convivência, no futuro, semelhantes àquele projeto e àquela convivência propiciados pela análise. Mas os sentimentos de que o analista e o analisando compartilharam podem durar um longo tempo.

Capítulo 6

SONHOS E TÉCNICAS DE REPRESENTAÇÃO

Em todas as religiões e em todas as civilizações antigas, os sonhos têm sido considerados uma importante via de ligação entre o mundo cotidiano e outro mundo – o mundo espiritual, o mundo dos deuses, o reino arquetípico; em linguagem moderna, o inconsciente.

Os sonhos são importantes tanto no Antigo quanto no Novo Testamento. José foi o principal intérprete de sonhos do Antigo Testamento, tendo interpretado corretamente os sonhos do Faraó, de maneira que o Egito pôde estocar grãos durante sete anos de fartura, evitando os sete anos de fome que se seguiriam. No Novo Testamento, São José recebeu em sonhos a mensagem de que deveria fugir, com Maria e o Menino Jesus, para o Egito, para livrar Jesus da morte dos inocentes ordenada por Herodes. Outro sonho serviu para dizer-lhe que era seguro retornar.

A mãe do Buda sonhou que um elefante branco com sete pares de presas penetrara-lhe o flanco. Esse sonho foi interpretado como uma mensagem de que ela daria à luz a uma criança que seria o salvador de todo o mundo. Na Grécia e na Roma antigas, os templos de Esculápio eram santuários nos quais os suplicantes do deus dormiam ("incubavam") nos recintos do templo, na esperança de terem um sonho cuja interpretação diagnosticasse a causa de enfermidades e oferecesse sugestões de cura. A *Oneirocritica* de Artemidoro de Éfeso, um manual de sonhos do início da era cristã, reflete claramente um amplo interesse pelo significado dos sonhos.[52]

Muitas personagens históricas deixaram registros dos seus sonhos: Júlio Cesar, Descartes, Bismarck, Hitler, Freud e Jung, entre outras. Mas, por volta de 1900, quando Freud publicou sua mais famosa obra, *A Interpretação dos Sonhos,* não havia praticamente nenhum interesse científico ou profissional por essa interpretação.

A TEORIA FREUDIANA DOS SONHOS

Praticamente sozinho, Freud criou um novo quadro para a compreensão clínica dos sonhos, que se tornou uma importante atividade da nova terapia psicanalítica. Os sonhos foram chamados "a via real para o inconsciente".

Na visão freudiana clássica, o sonho é um método de manutenção do sono apesar dos impulsos inaceitáveis – normalmente de cunho sexual ou agressivo – que surgem quando a censura da mente inconsciente é relaxada durante o sono. O impulso inaceitável que poderia perturbar o sono é transformado numa forma dramática e mais aceitável pelo trabalho do sonho, mediante mecanismos como o deslocamento e a condensação. O deslocamento, por exemplo, passa inconscientemente o desejo sexual reprimido pela mãe para a imagem onírica de uma mulher substituta mais aceitável, desse modo ocultando o caráter incestuoso do desejo. No mecanismo da condensação, várias figuras discretas são condensadas numa única figura composta que representa todas as figuras que a compõem. A elaboração secundária, tal como o disfarce de pessoas e eventos reais, é usada para colocar as imagens resultantes numa forma mais aceitável antes de elas serem vivenciadas como sonho. Na visão freudiana, o sonho permite uma descarga parcial do impulso original, sem permitir que esse impulso se manifeste numa forma tão primitiva que provoque o despertar do sonhador.

Na interpretação freudiana dos sonhos, a livre associação de ideias com os motivos do sonho serve, segundo se supõe, para produzir o retorno ao sonho latente original, não disfarçado, que se encontra subjacente ao sonho manifesto experimentado e lembrado.

A CONCEPÇÃO JUNGUIANA DOS SONHOS

Jung trabalhou originalmente com a teoria freudiana, antes de romper com Freud e desenvolver sua própria concepção a respeito da natureza da mente inconsciente. O elemento ímpar na concepção de Jung consiste no fato de ele evitar a consideração do sonho como uma mensagem inconsciente disfarçada. Na teoria junguiana, não há sonho latente ou oculto. Em vez disso, o sonho é considerado uma representação *simbólica* do estado da psique, e mostra os conteúdos da psique pessoal (os complexos), sob uma forma personificada ou representacional, como pessoas, objetos e situações que refletem os padrões mentais.[53]

Os conteúdos pertencentes à parte mais profunda da psique às vezes se manifestam nos sonhos. Esses conteúdos são imagens e motivos arquetípicos que podem não ser reconhecidos como tais, exceto se a pessoa estiver familiarizada com o simbolismo da mitologia e do folclore. Às vezes, o aparecimento de imagens arquetípicas nos sonhos indica uma profunda mudança no estado da psique.[54]

Jung criticou a teoria freudiana dos sonhos pelo fato de ela não ter percebido que muitos sonhos significam exatamente aquilo que dizem. A consideração do sonho como uma versão disfarçada do que seria um pensamento na situação de vigília parece desnecessária para muitos sonhos que são claros sem nenhuma interpretação.

Os sonhos podem fazer piadas, resolver problemas ou mesmo lidar com questões de ordem religiosa e filosófica. Para Jung, os sonhos são uma autorrepresentação do estado da psique, apresentada sob uma forma simbólica. O propósito dos sonhos, na teoria junguiana, é compensar as distorções unilaterais do ego vígil; por conseguinte, os sonhos estão a serviço do processo de individuação, auxiliando o ego vígil a encarar-se de modo mais objetivo e consciente.

Quando iniciei minha prática psiquiátrica, tentei, por mais de dois anos, usar as teorias freudianas e junguiana para lidar com os sonhos dos pacientes. O resultado disso foi a convicção sobre a utilidade clínica superior da abordagem junguiana. Isso ocorreu anos antes de eu ter entrado no treinamento para ser um analista junguiano. Em um momento posterior, dediquei grande atenção à interpretação dos sonhos, incluindo áreas especializadas como o aparecimento de imagens religiosas nos sonhos.[55] A interpretação de sonhos ainda constitui, na minha opinião, a via mais direta para uma apreciação da mente inconsciente. O uso clínico dos sonhos na prática junguiana é mais generalizado do que na maioria das outras formas de psicoterapia ou psicanálise. Isso se deve ao fato de os analistas junguianos receberem um treinamento de intensidade incomum no reconhecimento e no respeito ao significado de materiais inconscientes tais como os sonhos.

Apesar de a maneira pela qual os sonhos são analisados variar naturalmente entre os analistas junguianos, há algumas práticas comuns seguidas pela maioria deles no tocante a essa análise.

Os principais pontos da interpretação junguiana dos sonhos serão discutidos aqui, um por um. São eles:

1) Recordar os sonhos – como obter os dados básicos do sonho.
2) Registrar os sonhos para que possam ser utilizados de modo mais eficaz na análise.
3) Ampliação dos sonhos por meio de: a) associações pessoais; b) associações culturais; c) associações arquetípicas; d) associações naturais.
4) A estrutura dramática da maioria dos sonhos.
5) O propósito dos sonhos – compensação da maneira como o ego vígil concebe as coisas.

RECORDAR OS SONHOS

As modernas pesquisas a respeito da fisiologia dos sonhos indicam que todos sonham várias vezes no decorrer de cada noite de sono. Apenas sob condições de laboratório uma pessoa pode ser privada de um sono povoado de sonhos. Mesmo nessas condições, se a pessoa que sofreu essa privação puder dormir sem interrupção, haverá a recuperação de boa parcela do período de sonhos perdido.

Algumas pessoas não se recordam tão prontamente dos sonhos quando despertam, com frequência sentindo que não sonharam. Os sonhos ocorrem a intervalos de aproximadamente noventa minutos durante o sono. O sonho dura mais ou menos o mesmo tempo necessário à observação de ações semelhantes na televisão. O sonho costuma ser associado mais comumente ao sono leve (que segue o sono profundo), quando ocorrem os movimentos rápidos dos olhos (REMs – *rapid eye movements*) – movimentos que, segundo alguns pesquisadores, corresponderiam a mudanças ocorridas na sequência onírica. Parece que o ciclo onírico de noventa minutos também se manifesta durante o dia, mas o período de sonhos é coberto pela atividade da mente consciente.

Para a maioria das pessoas, os sonhos se esvaem rapidamente após o despertar. Isso ocorre mesmo que, pouco depois do despertar, o sonho pareça, de tão vívido, impossível de esquecer. Os analisandos, na análise junguiana, são aconselhados a manter um diário de sonhos, para o registro dos sonhos no momento em que estes são lembrados, mesmo durante a noite. Para atender a esse propósito, é melhor manter lápis e papel na cabeceira, para tomar notas no momento em que o sonho é recordado. Algumas pessoas preferem usar um gravador a tomar notas; nesse caso, costuma ser melhor transcrever o relato verbal e levar as notas escritas para a análise. Um relatório de sonhos feito por escrito pode ser manuseado mais rapidamente do que a audição por parte do analista de uma fita gravada.

Os sonhos podem voltar à lembrança durante a primeira hora após o despertar ou, às vezes, em períodos posteriores do dia, quando um evento concreto remete o sonhador a um motivo contido no sonho. Devem ser feitas anotações, se possível, no momento em que o sonho é recordado.

Mesmo que a pessoa "jamais sonhe", não é incomum que ela se recorde de sonhos após ter iniciado a análise. A colocação de papel e lápis ou de um gravador na cabeceira parece estimular a recordação de sonhos. Uma técnica simples de recordação de sonhos consiste em a pessoa dizer a si mesma, quando vai dormir, "Sonharei e me lembrarei dos meus sonhos". Essa autossugestão atua como a hipnose para aumentar a lembrança de sonhos.

REGISTRAR OS SONHOS PARA QUE POSSAM SER UTILIZADOS DE MODO MAIS EFICAZ NA ANÁLISE

O registro de um sonho deve conter o maior número de detalhes possível. Como os sonhos são afirmações simbólicas de realidades mais profundas da mente, mesmo um pequeno detalhe de um sonho pode se revestir de significado simbólico. Às vezes, a pessoa só relata os sonhos ligados a eventos diários, sem significado simbólico, mas quando os relatos são verdadeiramente examinados, algumas pequenas variações com relação aos eventos diários a que o sonho se refere revelará um significado simbólico. Por exemplo, uma pessoa pode sonhar com uma situação do seu escritório ligada à tensão "tal como ela é", mas o relato do sonho indica que está nevando lá fora, ao passo que o ano se encontra em pleno verão.

O registro do sonho também pode conter, convenientemente, as associações pessoais que o sonhador faz com os motivos oníricos. Como essas associações não são do conhecimento do analista, sua inclusão no relato escrito do sonho pode acelerar a interpretação analítica do sonho. Uma maneira de incluir essas associações consiste em colocá-las entre parênteses logo após o motivo. Por exemplo, um relato de sonho pode conter as seguintes frases: "Sonhei que jantava com tia Minnie (irmã mais velha do meu pai, solteirona, que visitei muito quando estava na pré-escola; fazia deliciosos pães de milho...)". Alternativamente, as associações com pessoas e situações podem ser relacionadas depois do sonho.

AMPLIAÇÃO DOS SONHOS

Os três níveis ou tipos comuns de amplificação dos motivos oníricos são: associações pessoais, associações culturais e associações arquetípicas. Pode-se usar também um quarto tipo de associação: o sentido real do motivo presente no sonho. Um furacão, por exemplo, pode ser considerado perigoso sem nenhuma associação pessoal, cultural ou arquetípica. Denomino esse tipo de associação de nível de associação natural. Tanto o analista quanto o sonhador podem contribuir para as associações culturais e arquetípicas, mas apenas o sonhador pode fornecer as associações pessoais. A inclusão de associações arquetípicas configura-se como uma das características ímpares do trabalho junguiano com sonhos.

Associações pessoais

As associações pessoais consistem nos pensamentos imediatos do próprio sonhador com relação às imagens oníricas. Na abordagem junguiana, a pessoa fica próxima à imagem onírica particular, evitando amplas associações livres (associações às associações às associações). Cada imagem ou motivo onírico é tratado como o melhor símbolo disponível no momento para representar uma parte da psique que se encontra envolvida no sonho. Como a imagem onírica é vista como representação ou personificação de um complexo na mente do sonhador, as associações feitas com essa imagem podem revelar outros aspectos desse mesmo complexo.

As associações pessoais são apenas aqueles pensamentos que ocorrem com naturalidade à mente em estado vígil do sonhador quando a imagem ou motivo oníricos são considerados. Por exemplo, um homem sonhou que comia uma porção de rabo de castor cozida e pedaços de abacaxi. Não havia associações pessoais com rabo de castor, exceção feita ao fato de o sonhador ter lido que se tratava de um prato especial e ao fato de ele saber que as palavras "beaver" ("castor") e "tail" ("rabo") serem usadas, em gíria, para designar a genitália feminina. Quanto ao abacaxi, todavia, ele o associou a um tempo passado de sua vida no qual ele perguntou qual a razão de haver tantos motivos de abacaxi em hotéis e residências em Alexandria, Virgínia. Responderam-lhe que na época dos veleiros, um capitão de navio que retornasse com uma carga de abacaxis colocava um deles no seu portão para que os amigos soubessem que ele estava em casa. Essa associação pessoal com os abacaxis sugeria que um momento particular da vida do paciente poderia ser relevante para o significado desse sonho.

Associações culturais

Às vezes, um motivo onírico se reveste de evidente sentido cultural, mesmo que isso não seja espontaneamente mencionado pelo sonhador quando faz o relato. Um exemplo disso seria sonhar com o presidente dos Estados Unidos ou com a rainha da Inglaterra – pessoas que, por meio da projeção, veiculam um importante significado cultural, embora costumemos tomar como dado esse significado. Por exemplo, vários dos meus pacientes tiveram sonhos que demonstravam marcadas reações com relação ao assassinato do presidente Kennedy – uma paciente passou por uma grande onda de sentimento com relação a um irmão morto em combate; outro teve um vislumbre das trágicas imperfeições de toda a humanidade; outro ainda reagiu com fortes tons edipianos. Cada um deles respondeu ao evento externo da morte de Kennedy como se esta fosse imediatamente relevante para a estrutura interior de sua própria mente.

Quando o analisando não menciona uma óbvia associação cultural, podemos pensar que essa omissão foi causada por defesas inconscientes. Em raros casos, o paciente pode até negar a associação quando o analista a sugere. A exploração dessas atitudes pode gerar com frequência interessantes vislumbres psicodinâmicos.

As associações com filmes, programas de televisão, peças e romances, embora mereçam poucas menções nos textos que tratam da interpretação dos sonhos, podem ser muito úteis quando há algum motivo onírico que evoque prontamente o material ficcional. Por exemplo, certa vez, um homem sonhou que estava numa sala com "J. R.", personagem principal de *Dallas*. Na época, essa personagem era significativa para a própria psicologia do sonhador e, o que é ainda mais interessante, o sonhador sentiu que não era "realmente" a personagem J.R., mas o ator que a representa. Suas associações com o motivo eram que o ator, Larry Hagman, filho da atriz Mary Martin, era quase o oposto da personagem que representa na série de televisão. Essa associação cultural levantou muitas questões valiosas a respeito da psicodinâmica do sonhador na época, incluindo a relação entre sua *persona* e seu verdadeiro senso de si mesmo.

Associações arquetípicas

Um aspecto especializado da análise junguiana, que a distingue de outras abordagens da psicologia profunda, é o conceito de arquétipo e a *amplificação* arquetípica de motivos oníricos. Os arquétipos, em sua forma pura, se configuram como os padrões de estruturação da mente, sem exibir conteúdos específicos. Não "herdamos" uma imagem arquetípica, mas somos portadores de uma tendência inata para estruturar a experiência de determinadas maneiras; a imagem interior da mãe, presente em cada um de nós, tem como base a tendência arquetípica de estruturar a experiência de vida inicial de modo a formar uma imagem de mãe.

Embora seja possível fazer uma boa psicoterapia, incluindo-se nela a interpretação de sonhos, sem recorrer ao nível arquetípico de amplificação, há casos em que esse nível confere uma nova dimensão e abre caminhos de compreensão que de outro modo não são disponíveis. Um dos sonhos mais assustadores que tive na vida apresentava um cone de metal prateado que ia crescendo no meu joelho direito. No sonho, eu podia retirar o cone de metal e observar o funcionamento da parte interna do joelho. No mesmo sonho, havia pedaços de metal dourado crescendo como discos na barriga da perna direita. Eu podia remover os discos, mas eles deixavam marcas na minha carne. Meu pensamento imediato, ao despertar do sonho, foi que algo estranho, que evidentemente não fazia parte do corpo, estava nascendo nele. Talvez eu tivesse câncer!

Mas quando levei esse sonho a Marie-Louise von Franz, com quem eu fazia análise na época, ela retirou o livro *Origins of European Thought* [Origens do Pensamento Europeu][56] da estante, abriu no capítulo intitulado "Nascimento a partir do joelho", e amplificou de modo brilhante o sonho num nível arquetípico que superou completamente a hipótese do câncer. Depois, por meio da imaginação ativa, pude analisar o sonho mais a fundo, descobrindo um sentido alquímico adicional para o crescimento de "metal" no corpo. A natureza do sonho requeria a amplificação arquetípica para que eu entendesse o processo de renascimento que estava ocorrendo comigo na época em questão.

As amplificações arquetípicas costumam ser mais prontamente fornecidas pelo analista, já que o estudo de símbolos e motivos historicamente recorrentes é parte básica do treinamento junguiano. Mas toda pessoa mergulhada de maneira total em sua análise será levada com naturalidade a amplificar materiais pessoais dessa maneira, por exemplo, mediante amplas leituras a respeito da religião, da mitologia e dos contos de fadas, assim como pela frequente referência a dicionários de imagens.

Ninguém pode conhecer tudo o que há para conhecer a respeito das imagens arquetípicas. Seu significado jamais pode se esgotar, e o conhecimento dessas imagens são um estudo contínuo que contribui para a arte da análise. Porém, se usada em demasia, ou introduzida num momento em que o analisando não tem condições de integrar a informação, a *amplificação* arquetípica pode tornar-se uma forma estéril de reducionismo, que substitui o significado pessoal pelo significado arquetípico a que a imagem está relacionada. O uso e o abuso da interpretação arquetípica é objeto de muitas discussões em andamento entre os analistas junguianos.

Associações naturais

Às vezes é útil amplificar imagens oníricas mediante associações naturais, que são simplesmente um modo de saber como o motivo onírico funcionaria se fosse parte do mundo natural. Um leão com juba, por exemplo, pode gerar poucas associações pessoais além do zoológico para alguém que sempre tenha vivido num centro urbano. Pode haver associações culturais, tais como o leão e o unicórnio representados no brasão real britânico. Num nível arquetípico, o leão exibe ampla gama de significados: "rei dos animais", Si-mesmo arquetípico, "Leão Verde" da alquimia, antigo guardião egípcio dos portões da alvorada e do crepúsculo, e mesmo a forma animal de São Marcos, um dos quatro apóstolos, na iconografia cristã.

No entanto, uma *amplificação* natural de um leão com juba incluiria, tão somente, pensamentos a respeito do comportamento conhecido dos leões machos em seu estado natural. Entre esses pensamentos, temos a incapacidade do leão macho como caçador em comparação com as leoas e o fato de eles tenderem a ser considerados preguiçosos por esperarem que a fêmea lhes traga a caça para o almoço. Além disso, os leões figuram entre os raros animais que acasalam quando a fêmea não está no cio e, por essa razão, se assemelham aos seres humanos. Essas associações naturais com um leão macho com juba contrastam com a imagem heroica de vitalidade que costumamos encontrar nas amplificações arquetípicas.

Às vezes, os vários níveis de amplificação parecem contraditórios entre si, só se podendo determinar o significado mais apropriado de maneira intuitiva, no contexto do sonho real ou da série de sonhos na qual aparece a imagem.

A ESTRUTURA DRAMÁTICA DA MAIORIA DOS SONHOS

A maioria dos sonhos apresenta uma estrutura dramática, exibindo um problema inicial, complicações e desenvolvimento e, com frequência, uma solução. Os sonhos se assemelham a dramas pessoais, representados pelo e para o sonhador para ajudar o ego onírico a avançar no processo de individuação. A estrutura dramática dos sonhos põe o ego diante de situações simbolicamente importantes. As ações ou inações do ego onírico são particularmente significativas, e com frequência alteram o curso do sonho (ou dos sonhos subsequentes de uma série).

A estrutura dramática dos sonhos pode ser um meio de induzir estados afetivos no ego onírico, produzindo uma forma onírica do ego-afeto que Jung observou ao discutir as experiências com associações de palavras.[57] O ego-afeto é uma distorção do estado costumeiro do ego, resultante do fato de o ego ser influenciado por um ou mais complexos psicológicos ativados.

A experiência clínica sugere que, a não ser que o ego esteja em contato com uma forma ativa de complexo, e sofrendo o afeto assim gerado, não lhe é possível alterar de maneira efetiva a estrutura do complexo, por mais que "saiba", de modo intelectual, a respeito do complexo. Assim sendo, a alteração de um complexo requer a capacidade de suportar as distorções do estado de ego-afeto associado ao complexo e, ao mesmo tempo, de não perder de vista o fato de o afeto ser decorrente de um complexo e não do funcionamento integrado da pessoa.

A estrutura dramática da maioria dos sonhos é idealmente adequada para a experiência de estados de ego-afeto e, por isso, também oferece a possibilidade de alterar o complexo responsável pela produção desses mesmos estados. Tal como a fronteira analítica, o sonho produz um espaço livre e protegido, o que se explica pelo fato de o ego onírico sempre poder acordar para o mundo do dia a dia, embora o ego não costume saber, durante o sonho, que se encontra num estado onírico.

Nem todos os sonhos apresentam uma forma dramática. Alguns não passam de uma imagem simples. Embora a maioria dos sonhos se revista de um caráter visual, há sonhos completamente auditivos. Mesmo os sonhos que seguem a estrutura dramática costumeira podem ser encarados como modos de demonstrar a proximidade dos complexos neles representados. Trata-se de algo semelhante a ler um sonho de trás para a frente.

Por exemplo, podemos sonhar que estamos em nossa casa da infância e que tentamos ler um livro, mas as palavras não fazem sentido. Observado de maneira estática, esse sonho poderia sugerir que, na presença do complexo (a "casa da infância"), algo interfere na "leitura", ou processo de aprendizagem. Olhando o sonho de maneira inversa, ele pode indicar que a atividade da "leitura" não deve ser considerada confiável na vizinhança da "casa da infância".

Mesmo os sonhos de estrutura simples podem ser considerados dramáticos, em termos de compensação, com o ego vígil. Nenhum sonho é puramente estático. A visão estática é, na verdade, uma abstração, uma maneira de ler o sonho como se ele fosse um índice de complexos e um anúncio de sua proximidade, em lugar de estar a serviço da compensação e da individuação. Não obstante, essa visão pode vir a ser um valioso instrumento clínico se usada com prudência.

O PROPÓSITO DOS SONHOS

A compensação (no sentido de modificação) das visões distorcidas ou incompletas do ego vígil é, de acordo com a teoria junguiana, o propósito dos sonhos.[58] Nossa maneira vígil de encarar as coisas sempre é incompleta, razão pela qual sempre há espaço para a compensação. Tudo se passa como se o sonho fosse composto por uma personalidade mais abrangente e superior, a versão "maior" de nós mesmos, uma personalidade que se encontra, de certa maneira, afastada dos temores e tensões que afetam o ego vígil. Portanto, a origem teórica do sonho é o Si-mesmo, o centro regulador da psique. Afastando-se sobremaneira da visão freudiana dos sonhos, que os considera meros guardiões do sono, a abordagem junguiana vê o sonho como parte da própria textura da vida, ligado à individuação e não simplesmente à solução de problemas que preocupam o ego vígil.

Às vezes, a atitude ou ponto de vista do ego vígil requerem uma pequena correção. Nesses casos, os sonhos só fazem compensações menos importantes que complementam o ponto de vista do ego vígil. Em raros casos, o sonho compensa, não apenas a situação pessoal do sonhador, mas também sua situação familiar. Isso é particularmente verdadeiro em alguns sonhos de crianças, notórios por revelarem complexos ativos nos pais.[59] Se o ego vígil estiver envolvido com a solução de um problema particular, o sonho pode dar um indício simbólico ligado à resposta. O caso mais famoso na ciência é o sonho de Kekulé, no qual ele resolveu o problema de como organizar os átomos de carbono no benzeno; o sonho apresentou uma cobra segurando a própria cauda (imagem conhecida na alquimia como *Ouroboros*) e ele percebeu subitamente que poderia organizar as unidades de carbono de forma circular – o anel do benzeno.

A compreensão da natureza compensatória dos sonhos requer que encaremos os sonhos como algo que se encontra em relação dialética com o ego vígil. O sonho não nos diz especificamente o que fazer; na verdade, ele comenta a respeito das atitudes e opiniões do ego vígil que se mostrem relevantes do ponto de vista daquilo que se deseja fazer. Para utilizar essa informação compensatória do sonho é necessário, por conseguinte, estabelecer previamente uma atitude consciente.

Se essa atitude consciente for amplamente exagerada, o comentário compensatório do sonho pode ser igualmente exagerado, mas na direção oposta. Por exemplo, se uma pessoa se mostra conscientemente avessa a outra pessoa e ainda assim os sonhos mostram que ele ou ela ama essa pessoa, não se conclui que o sonhador esteja realmente amando a pessoa em lugar de odiá-la; o exagero presente ao sonho, na direção oposta, provavelmente estará visando produzir uma atitude equilibrada na consciência.

Embora não seja desejável voltar a direção da vida para os sonhos, estes podem ser valiosos auxiliares na identificação e correção das distorções e pontos obscuros não reconhecidos da consciência.

A natureza compensatória da atividade onírica jamais se configura como um equilíbrio estático entre a atitude consciente dominante e seu oposto. Em lugar disso, a compensação se encontra, no final das contas, a serviço da totalidade – isto é, o sonho compensa a forma presente da identidade consciente do ego nos termos da totalidade potencial da psique, que constitui a pressão subjacente na direção da individuação.

OS SONHOS NA ANÁLISE

É possível, se bem que discutível, fazer uma completa análise junguiana sem que haja sonhos disponíveis. Contudo, trata-se de uma situação rara e quase sempre desnecessária. Os sonhos constituem invariavelmente a fonte de valiosas informações para o trabalho analítico, não apenas porque é a manifestação mais comum da atividade inconsciente, como também porque fornecem um ponto de vista demonstravelmente mais objetivo que aquele do analista ou do analisando. A interpretação de sonhos serve tanto para acelerar como para aprofundar o processo analítico.

Os analistas junguianos exibem variados estilos de utilização de sonhos na análise. Eu dou preferência à entrega, por parte dos analisandos, de um relato escrito dos seus sonhos, com uma cópia adicional para o meu arquivo. É útil que os sonhos sejam datados e apresentados em sequência, com pelo menos breves notas sobre associações pessoais e eventos diários no relato do sonho. Isso permite que o analista explore certo número de sonhos, veja-os no contexto da vida do sonhador e se concentre nos sonhos que pareçam potencialmente mais valiosos. Alternativamente, o analista pode pedir ao analisando que escolha um ou dois sonhos que lhe pareçam particularmente significativos.

Uso defensivo nos sonhos

Embora os sonhos sejam valiosos, os pacientes podem utilizá-los de maneira defensiva, tal como podem fazê-lo com todo e qualquer material. Há duas maneiras defensivas de uso dos sonhos que são facilmente reconhecíveis e evitáveis. A primeira delas consiste em jamais levar sonhos para a análise, em especial quando estes parecem reveladores a respeito de si mesmo. A outra maneira caracteriza-se pela apresentação de um número tão grande de sonhos que os sonhos terminem por suplantar todos os demais aspectos da análise – por exemplo, a furiosa briga com o cônjuge que ocorreu na noite anterior.

É possível negar importância aos sonhos, mesmo quando são levados à sessão analítica. Uma maneira frequente de fazer isso é atribuir ao sonho uma origem puramente factual, considerando apenas os eventos reais do presente: "Sonhei com um Rolls Royce porque vi um deles estacionado perto do meu carro ontem". A falha nessa atitude reside no fato de vermos muitas coisas a cada dia, embora poucas delas apareçam nos sonhos. Os sonhos podem, na verdade, selecionar, a partir dos eventos cotidianos (aquilo que Freud denominou "resíduo do dia", formado por percepções integradas de modo incompleto) – mas o modo pelo qual a imagem do dia é incorporada ao sonho costuma ser ímpar e se conforma à estrutura dramática e ao propósito do sonho. As imagens residuais do dia, ao lado das imagens da lembrança, podem servir de adereços de encenação da forma dramática do sonho, mas não determinam o modo como são usadas no drama. Uma cadeira pode não passar de um local em que nos sentamos, assim como pode ser um instrumento de defesa de um domador de leões num circo.

TÉCNICAS DE REPRESENTAÇÃO

As mesmas estruturas inconscientes de complexos que são traduzidas em imagens e personificadas nos sonhos podem ser trabalhadas de outras maneiras que utilizam o inconsciente. A hipótese projetiva, na qual se fundamenta a maioria dos testes psicológicos, afirma que uma situação não estruturada será estruturada de maneira significativa pelos conteúdos da mente inconsciente constelados à época da aplicação do teste.

A mesma consideração geral subjaz à teoria junguiana dos tipos psicológicos, teoria segundo a qual cada pessoa é dotada de uma maneira relativamente fixa de encarar a vida – basicamente, de maneira introvertida ou extrovertida – maneira essa que será a mais proeminente quando a pessoa tiver de lidar com situações novas e não estruturadas. O valor de todas as técnicas de representação reside na produção de uma imagem ou forma para a atividade inconsciente constelada. Essa forma permite que o ego vígil tome uma atitude diante do que antes era inconsciente e produzia, em lugar de percepção e compreensão, sintomas.

No uso de técnicas de representação na análise junguiana, é fornecida uma situação ou material não estruturados. Pode ser argila ou material de pintura, com os quais a imagem de um sonho (ou símbolo significativo de outra origem qualquer) deverá ser expressa. No simpósio anual do Centro Educacional C. G. Jung (C. G. Jung Educational Center), de Houston, Texas, sempre há uma oportunidade de moldar em argila, sendo as produções discutidas psicologicamente e exibidas ao final das reuniões. Além disso, há tradicionalmente uma seção de redação de poemas, outra maneira de expressar conteúdos inconscientes. A dançaterapia é um novo e valioso instrumento com o mesmo propósito; há vários analistas junguianos treinados que também são registrados como terapeutas corporais especializados em dança. Outra técnica de representação de amplo uso entre analistas junguianos é o tabuleiro de areia, no qual são construídas cenas imaginárias.

Uma técnica pouco conhecida, mas surpreendentemente poderosa, consiste em fazer o paciente escrever cartas a uma pessoa de relevância em sua vida, com frequência a um dos pais, mesmo que a pessoa em questão já seja falecida. Em geral, costuma ser valioso levar o analisando a escrever a "resposta" da pessoa.[60] Às vezes, várias trocas dessas "cartas" revelam uma quantidade incomum de materiais inconscientes, em particular sentimentos que haviam sido dissociados das imagens conscientes a que naturalmente pertencem.

Formas dramáticas de representação podem ser usadas tanto na análise individual como no processo de terapia de grupo. A "cadeira vazia" da *Gestalt*, técnica na qual é colocada uma pessoa de relevância (ou uma versão do próprio analisando) em uma cadeira vazia e o analisando estabelece um diálogo, talvez desempenhando ambos os papéis e mudando de cadeira, pode, em muitos casos, provocar a manifestação de afetos e de informações. Às vezes, essa técnica da *Gestalt* é transformada num pequeno psicodrama; nesse caso, o analista ou um dos membros do grupo de psicoterapia representa um ou mais papéis.

Projeções em tabuleiro de areia

Minha mulher e eu estudamos o uso do tabuleiro de areia com Dora Kalff, quando do meu treinamento em Zurique. Desde então, o tabuleiro tornou-se para mim uma fascinante técnica de representação, que considero a minha favorita. Nessa técnica, é pedido aos novos pacientes que construam três figuras no tabuleiro de areia, que tem um tamanho determinado, selecionando itens das várias centenas de figuras e formas disponíveis na mesma sala. Às vezes, é determinado um tópico para o uso do tabuleiro, tal como "sua família de origem", "seu casamento" ou mesmo "seu conceito de Deus". Outras vezes, é solicitado que o analisando "escolha os objetos que chamam a sua atenção e faça com eles um arranjo na areia". O tabuleiro de areia não tem uso restrito a novos pacientes; os analisandos podem pedir para usá-lo a fim de amplificar um motivo onírico ou uma área complexa particular.

O processo de uso do tabuleiro de areia é acompanhado por fotografias instantâneas dos vários estágios, assim como por anotações a respeito da ordem em que são escolhidos os itens, dos itens que são descartados ou modificados, de eventuais comentários espontâneos etc. Às vezes, o analista pode interagir com o paciente em termos do tabuleiro, perguntando se certas figuras podem ser reposicionadas ou substituídas. É possível acrescentar itens ao tabuleiro, perguntando-se ao analisando o que ele sente quanto ao acréscimo. Logo, o tabuleiro pode ser utilizado para representar imagens oníricas ou complexos, assim como pode ser usado para desenvolver um diálogo simbólico entre o analisando e a figura projetada, desse modo permitindo usar suas reações para alterar o tabuleiro. É interessante a maneira como uma pessoa às vezes reage com forte emoção a uma pequena mudança na figura do tabuleiro. Essas fortes constelações emocionais nos dão o sentido da realidade da psique que subjaz à construção da figura projetiva no tabuleiro de areia.

As mesmas formas de amplificação – pessoal, cultural, arquetípica e natural – podem ser usadas tanto para os sonhos como para as cenas do tabuleiro. A técnica do tabuleiro de areia atualmente é bem popular entre certo número de analistas junguianos e o interesse por ela parece estar se expandindo rapidamente.

Hipnoanálise

Em termos primários, algumas técnicas de representação ocorrem na mente do analisando. Essas técnicas prestam-se de modo particular ao trabalho com pessoas introvertidas a quem o trabalho da psicoterapia de grupo não agrada ou que podem sentir-se inibidas diante de construções de arteterapia ou da técnica projetiva do tabuleiro de areia.

A hipnoanálise é uma dessas técnicas interiores de representação. Alguns analistas junguianos, com treinamento profissional em hipnose, combinam esta última à abordagem clássica da análise. Fiz um amplo uso da hipnose,[61] mas hoje a uso pouco em minha prática analítica, dando preferência aos sonhos, os quais considero um modo de revelação da psique mais profunda que a maioria dos usos da hipnoanálise. Mesmo a hipnose profunda acarreta algum grau de envolvimento do ego com as imagens, ao passo que os sonhos se configuram como a coisa mais próxima de uma revelação pura do inconsciente que somos capazes de obter.

Se o analisando for um bom sujeito hipnótico, as revivescências realizadas sob hipnose aproximam-se dos estados oníricos de ego-afeto. O uso dessas revivescências segue o mesmo princípio do uso dos sonhos; o analista ajuda o paciente a tomar uma atitude diante das imagens do transe hipnótico. Exceto em situações especializadas, há poucas tentativas de dirigir o paciente hipnotizado em termos daquilo que deve vivenciar quando submetido ao transe hipnótico. As técnicas hipnoanalíticas são discutidas mais amplamente no Capítulo 7 a seguir.

Imaginação ativa

A imaginação ativa é uma técnica concebida por Jung para promover a interação direta com o pensamento inconsciente, num estado de imaginação controlado, estando a pessoa desperta. Trata-se de um tipo de meditação que se assemelha, em alguns pontos, à auto-hipnose. Todavia, a imaginação ativa difere fortemente da fantasia e do sonhar acordado graças à incorporação de duas regras fundamentais:

1) a atitude do ego (o "ego imaginário"), na imaginação ativa, deve ser a mesma que este teria caso a situação imaginada fosse real. Isto é, as regras morais, éticas e pessoais que se aplicam a uma situação da vida desperta devem ser seguidas também na sequência imaginada. Isso evita que a psique se divida e elabore imagens fantasiosas

que "não contam" porque não entram em contato com os complexos que constituem um problema para o ego vígil;
2) quando situações ou pessoas, que não são o ego imaginário, reagem diante do ego na imaginação ativa, deve-se permitir-lhes a reação sem que haja interferência, seja qual for, por parte do ego. Essa regra aparentemente simples é muito difícil de ser seguida, pois é tentador, na imaginação ativa, "corrigir" uma situação difícil, do mesmo modo como se faz na fantasia. Uma das minhas percepções desse fato aconteceu quando eu estava em um difícil impasse com minha analista e me aproximei, na imaginação ativa, da imagem de um velho sábio que sempre me havia dado conselhos bons e práticos. Perguntei-lhe o que dizer à minha analista a respeito da nossa dificuldade e ele, surpreendentemente, disse: "Não lhe diga nada; apenas tome dessa espada e mate-a!".

Foi um verdadeiro dilema, pois agir como ele me aconselhara iria contrariar a primeira regra da imaginação ativa – não fazer nada que não se fizesse caso a situação fosse real. E, no entanto, a figura do velho sábio sempre me havia dado bons conselhos. Desesperado, cheguei à conclusão de que imaginaria estar perseguindo a analista com a espada "como se" pretendesse matá-la, embora me detivesse pouco antes de fazê-lo. Quando, na imaginação, agi nos termos dessa decisão, a figura de minha analista assumiu uma forma animal que eu podia, embora com relutância, matar com a espada do velho sábio.

Essa sequência de imaginação ativa foi um ponto decisivo em toda a minha experiência analítica, pois destruiu minha dependência inconsciente da analista. Na reunião seguinte, não me importei muito com a posição da analista, já que estava profundamente consciente das minhas próprias razões. Quando lhe falei sobre a sequência de imaginação ativa, assim como do meu dilema, ela comentou: "A forma animal era o meu *animus*; você pode matá-la!". Convenci-me, para sempre, do valor da imaginação ativa.

Há uma terceira regra, derivada da imaginação ativa, recomendada por muitos analistas, que me levou a hesitar na sequência acima descrita. A regra diz que não se deve fazer imaginação ativa envolvendo pessoas reais. Esse conselho tem duas razões de ser, uma de ordem prática e a outra vinculada à natureza teórica do inconsciente. A razão prática consiste no fato de que, se fizermos imaginação ativa envolvendo pessoas, ela pode nos dar, tão somente, uma solução simbólica para os problemas que tivermos com a pessoa em questão, ao mesmo tempo que produz um curto-circuito na interação com a pessoa real e inibe uma solução real no mundo do dia a dia. A imaginação ativa, tal como ocorre com a análise, deve ser um modo de nos ajudar a viver, e não um substituto para a vida.

Pelo fato de não sabermos como o inconsciente profundo de uma pessoa interage com o de outra, e como *há* ocorrências sincrônicas, a realização da imaginação ativa envolvendo pessoas reais também pode ser considerada o equivalente das ideias iniciais de magia simpática – segundo as quais o xamã ou médico tentava modificar uma pessoa por meio da interação com uma imagem dessa pessoa. Essa razão para não envolver pessoas reais na imaginação ativa terá maior ou menor peso, a depender das convicções metafísicas de cada pessoa. Mas para que ninguém pense que a imaginação ativa seja uma maneira de obtenção do poder "mágico" sobre as outras pessoas, permitam-me mencionar o fato de que, entre os povos primitivos, um xamã que enviasse uma "flecha mágica" contra um oponente logo teria de construir uma imagem de sua própria casa ou eu, pois se a flecha mágica "errasse" o alvo (o inimigo), inevitavelmente logo retornaria e buscaria a pessoa que a havia enviado. Do mesmo modo, se alguém implanta uma estrutura psíquica por meio da imaginação ativa, esta pode ou não modificar o "inimigo", mas certamente modifica a psique de quem a construiu, talvez com resultados prejudiciais.

A prática da imaginação ativa é delicada e requer habilidade. Não se trata de uma técnica adequada para toda e qualquer pessoa. Com muita frequência, se tentarmos ir longe demais com ela, a psique simplesmente passará ao domínio da fantasia. Há necessidade de discriminação consciente para reconhecer quando ocorre uma verdadeira imaginação ativa. Na realidade, há uma única regra para ajudar a determiná-la: a ocorrência de algo inesperado e surpreendente como reação ao ego imaginário. Trata-se do ponto no qual a imaginação ativa assemelha-se aos imprevisíveis e espantosos eventos presentes nos sonhos. Trata-se de algo que mostra, de modo surpreendente, a verdadeira autonomia da psique inconsciente.

RESUMO

1) Na análise junguiana, os sonhos ainda são a "via real para o inconsciente".

2) Os sonhos costumam ocorrer sob a forma de construções dramáticas que oferecem ao ego onírico a oportunidade de lidar com problemas resolvidos de maneira incompleta pelo ego vígil.

3) Os sonhos servem primariamente à individuação e cumprem esse papel pela compensação das concepções distorcidas e unilaterais mantidas pelo ego vígil.

4) A função compensatória dos sonhos pode ser encarada em termos de um diálogo entre o ego vígil e outros aspectos da psique. Portanto, nem todos os sonhos mantêm relação direta com os eventos cotidianos.

5) As técnicas de imaginação, tais como as construções em tabuleiro de areia podem ser utilizadas para objectivar o inconsciente, funcionando mais ou menos da mesma maneira que a interpretação de sonhos.

6) As técnicas interiores de representação, tais como a hipnose e a imaginação ativa (uma técnica junguiana ímpar), também são valiosas.
7) As técnicas interpessoais de representação podem ser usadas tanto na análise individual quanto na psicoterapia de grupo.

Capítulo 7

VARIAÇÕES DA ANÁLISE

Tendo se desenvolvido pouco depois da psicanálise freudiana clássica, a análise junguiana preservou uma ampla gama de abordagens, todas elas enquadradas mais ou menos na tradição junguiana clássica. Embora de modo geral o arranjo comum seja a colocação do analisando diante do analista, alguns junguianos, tal como os freudianos clássicos, fazem o paciente reclinar-se num divã, sentando-se o analista atrás e de um dos lados do paciente.

Alguns junguianos fazem tanto psicoterapia de grupo quanto análise individual, preferindo chamar a primeira, com frequência, de "análise de grupo", como faz Edward C. Whitmont, um dos pioneiros do trabalho junguiano de grupo.[62] Outros, igualmente respeitados, opõem-se à psicoterapia de grupo. A ampla diversidade de formações de caráter clínico e não clínico entre analistas junguianos assegura a contínua discussão e revisão das diversas variações do estilo clássico da análise.

PSICOTERAPIA DE GRUPO

Como já foi mencionado no Capítulo 1, Jung não era pessoalmente favorável à psicoterapia de grupo. Sua atitude influenciou muitos analistas junguianos a não utilizar essa modalidade de tratamento. Contudo, Jung não teve experiências com a moderna psicoterapia processual de grupo; seu ponto de vista tinha como fundamento um profundo sentimento em torno da importância essencial do indivíduo, assim como a observação de que, nos grupos, os indivíduos costumam comportar-se com menos consciência e responsabilidade do que o fazem quando agem de maneira isolada.

Jung preocupava-se em proteger a integridade do indivíduo diante da pressão para conformar-se ao grupo. A psicoterapia de grupo orientada para o processo trabalha precisamente com vistas a esse fim, pois fortalece a consciência do indivíduo a respeito de sua própria posição e permite que cada um assuma essa posição a despeito da pressão do grupo.

Minha exposição inicial aos métodos de psicoterapia de grupo ocorreu no meu primeiro ano de residência, tanto como terapeuta de grupos como na qualidade de participante de grupos de "treinamento da sensibilidade". Com efeito, somente no terceiro ano de residência tive minha primeira hora de análise junguiana – o que ocorreu durante uma viagem a São Francisco para participar de uma reunião da Associação Americana de Psicoterapia de Grupo (American Group Psychotherapy Association, AAPG – AGPA). Nunca experimentei uma contradição entre o trabalho analítico grupal e o individual; na verdade, encaro essas duas modalidades como complementares. O trabalho de grupo se configura, para a análise individual, do mesmo modo que o trabalho de laboratório se configura para o estudo individual.

A psicoterapia de grupo não é de modo algum um substituto da análise individual, mas uma combinação entre psicoterapia grupal e individual parece fazer algumas pessoas avançarem com mais rapidez ao longo do processo de crescimento e compreensão do que com qualquer delas sozinha. A experiência no grupo fornece exemplos dos tipos de interação neurótica que se encontram na história individual de cada um, assim como, frequentemente, nas afirmações simbólicas dos sonhos que temos. Na verdade, a importância do trabalho de grupo costuma refletir-se nos sonhos do paciente, e não me lembro de nenhum exemplo em que os sonhos de alguém que faça psicoterapia individual e de grupo indicassem uma dificuldade com a experiência do grupo.

Enquanto a análise individual tende a constelar complexos associados a uma figura parental, ou uma projeção da *anima* ou do *animus* (e, mais raramente, da sombra), a experiência do grupo tende a produzir um sentido do que é aceitável ou inaceitável para a sociedade como um todo. A análise individual pode representar o papel projetado dos pais, ao passo que o grupo representa o papel projetado de uma família ou de uma sociedade.

Praticamente sem exceção, é mais fácil para o paciente a confissão de um segredo perturbador a respeito de si mesmo ao analista do que ao grupo. Isso apresenta tanto vantagens quanto desvantagens. Com efeito, a principal vantagem reside no fato de as fronteiras do recipiente analítico ser suficientemente reasseguradoras e protetoras para permitirem o exame da sombra. No entanto, a contraparte negativa disso consiste no fato de o paciente costumar manter um sentimento de inaceitabilidade com relação ao material, mesmo que este seja aceito pelo analista. Isso equivale a ter um amigo íntimo que aceita o que há de inaceitável em nós, enquanto os outros – assim pensamos – ainda não o aceitam. A discussão do mesmo material na terapia de grupo liberta o indivíduo desse nível diferente de ansiedade – o temor de que ele seja rejeitado pela sociedade.

Com apenas uma exceção, nunca vi um grupo de terapia rejeitar unanimemente uma pessoa por causa de algum material revelado em grupo. Esse caso isolado foi de um esquizoide que ameaçou colocar todos os membros do grupo em sua lista de "alvos". Todos os participantes do grupo se enfureceram e ele logo alterou sua bizarra fantasia.

É mais comum que os membros do grupo aceitem por unanimidade a sombra de um indivíduo, mesmo que não gostem dela ou prefiram que ela seja modificada. Na pior das hipóteses, pode haver uma divisão entre os que aceitam e rejeitam uma situação que é, em si mesma, positiva, já que ajuda o paciente a perceber a diversidade de opiniões existentes num grupo de pessoas e na experiência da capacidade de conviver sem desconforto no grupo *sem* aprovação unânime. Uma mulher que fazia terapia de grupo colocou isso de maneira enérgica, dizendo que passava a vida "em busca de aplausos de pé e, se alguém não se levantasse para aplaudir, esse aplauso não contava". A psicoterapia de grupo a ajudou, de algum modo, a assumir uma atitude mais tolerante em relação a si mesma.

Do ponto de vista teórico, o trabalho de grupo eficaz é um poderoso instrumento de modificação do autojulgamento negativo excessivamente rígido, ao mesmo tempo que ajuda a pessoa a desenvolver uma autoestima realista. As mesmas qualidades, em termos de condições de delimitação seguras, são necessárias para o êxito da psicoterapia de grupo bem como da análise individual. Essas condições envolvem o acordo entre os membros do grupo quanto ao caráter confidencial do material discutido no grupo. Dentro dessas condições de delimitação seguras, a efetiva criação de estados de ego-afeto, que refletem a psicodinâmica dos membros do grupo, constitui uma poderosa maneira de descobrir e modificar autoimagens inconscientes de caráter negativo.

Alguns terapeutas insistem na regra de que os membros do grupo não mantenham relações sociais entre si fora do grupo de terapia. Essas relações podem produzir alianças que interferem com a natureza do processo das interações grupais, podendo produzir interações que as pessoas não desejam trazer para discussão no seio do grupo. Não considero essa regra operacional, já que, se pessoas adultas desejam manter relações sociais entre si, de qualquer grau, fora do grupo, é provável que venham a fazê-lo a despeito da proibição. Todavia, verifiquei ser importante exigir que toda interação significativa que ocorra fora do grupo seja levada ao grupo para que possa se tornar parte do processo. Tem havido raros exemplos em que membros de um grupo se envolvem sexualmente; mas pelo que sei, esses assuntos sempre foram tratados pelo grupo, que atuou como um firme freio ao excesso de envolvimento.

Quando as condições de delimitação do grupo de terapia são respeitadas, a interação processual entre os membros do grupo constela, inevitavelmente, poderosos estados de ego-afeto. Esses estados mostram-se mais produtivos quando surgem naturalmente na interação do grupo, em lugar de serem provocados por técnicas que servem, em essência, à condução da terapia individual num ambiente grupal. O tipo de psicoterapia de grupo que defendo e pratico chama-se *terapia de grupo processual*. No trabalho de grupo processual, permite-se que as situações terapêuticas se desenvolvam a partir das interações naturais entre as pessoas do grupo, sem o uso de "truques" técnicos destinados a provocar as interações.

Participei, como instrutor ou supervisor, de vários grupos bienais de treinamento. Essa experiência confirmou minha convicção de que a psicoterapia de grupo pode constituir uma importante melhoria da experiência da análise junguiana, particularmente por incorporar na vida cotidiana de cada pessoa as percepções obtidas na análise individual.

TERAPIA DE CASAIS: ARQUÉTIPO DA *CONIUNCTIO*

Coniunctio é um termo usado na literatura alquímica para indicar uma operação na qual os opostos, que antes só existiam na *massa confusa* (confusão caótica), são separados e, em seguida, reunidos numa forma estável. Trata-se de uma poderosa imagem simbólica. De certo modo, todas as demais operações alquímicas são preparações para a *coniunctio*. Mas a *coniunctio* nunca é o objetivo final, sendo seguida pela preparação de outra *coniunctio* em outro nível da psique, normalmente "mais alto", mas às vezes "mais baixo".

A imagética arquetípica da *coniunctio* está na base da instituição do casamento, que é uma cerimônia coletiva destinada a indicar a reunião do que se encontrava separado, numa união instituída por Deus e que o homem não deve destruir. Os ritos de casamento têm servido à solidariedade social, desde o casamento primitivo entre primos, cujo padrão foi discutido por Jung,[63] até os dias de hoje.

Depois de ver vários casais em terapia é possível acreditar, na verdade, que algo "mágico" acontece com a cerimônia de casamento.

O aspecto mágico nem sempre é positivo como se espera que seja. Muitas vezes, parceiros que têm um relacionamento perfeitamente satisfatório antes do casamento descobrem que as dificuldades existentes entre eles começaram praticamente na noite de núpcias. A razão inconsciente para isso é bem clara: os papéis de marido e esposa são muito diferentes do papel de namorados. Se a dificuldade não surgir na época do casamento, pode ocorrer com o nascimento do primeiro filho, já que os papéis de mãe e pai, mais uma vez, são diferentes dos papéis de esposa e marido. Nesses pontos nodais de dificuldade, uma compreensão dos conceitos duais de *persona* e *anima/animus* pode revestir-se da mais crucial importância para a sobrevivência da relação.

A *anima/animus*, que representa o princípio do relacionamento com os mundos interior e exterior funciona, com frequência, a serviço do conjunto de imagens arquetípicas da *coniunctio*, indicando um estado de união perfeita no qual os opostos servem ao todo sem lutar entre si. O antigo símbolo taoísta do *tai chi chuan*, já mencionado, expressa graficamente a *coniunctio*.

No entanto, esse impulso na direção do conjunto de imagens arquetípicas da *coniunctio* embora seja responsável pela atração original entre duas pessoas, entra em conflito com os papéis sociais de marido/esposa e de pai/mãe, que têm como base, naturalmente, os pais, tendo em vista que os pais pessoais reais sempre modificam e canalizam os potenciais arquetípicos que esses papéis contêm inconscientemente.

A base do aconselhamento de casais, num quadro junguiano, repousa em larga medida sobre dois conceitos estruturais:

1) a integração de papéis da *persona*; e
2) o relacionamento entre a *anima* e o *animus* sob a pressão do símbolo inconscientemente arquetípico da *coniunctio*. Trata-se, com efeito, de uma descrição de cunho teórico, mas que serve para enfatizar o quadro arquetípico que em geral não é apreciado no aconselhamento de casais.

São necessárias todas as habilidades do analista em termos do trabalho com a *anima* e o *animus* quando este aconselha um casal em dificuldades. O primeiro estágio visa deixar que os parceiros tomem consciência do ponto a partir do qual o funcionamento normal do ego começa a decair na interação entre a *anima* e o *animus* negativos. Toda comunicação real entre duas pessoas só é possível quando esse nível defensivo de comunicação é evitado.

Nem todos os analistas junguianos atendem casais ou acreditam ser apropriado tratar marido e mulher em análises individuais ao mesmo tempo. Essa escolha depende tanto do quadro teórico do analista quanto do seu treinamento clínico. Todavia, quando a terapia conjugal ou de casais é feita por um analista junguiano manifesta-se nela um profundo potencial de significado. De que profundidade? Profundo no sentido de o foco apropriado da terapia conjugal junguiana não residir na manutenção da relação conjugal (embora essa manutenção possa resultar da terapia). Na realidade, o foco primário é o processo de individuação de cada um dos indivíduos no casamento ou no relacionamento.

Na terapia convencional de casais, o foco costuma estar, na maioria dos casos, na decisão de o par ficar junto ou separar-se, ao passo que o processo real envolvido é o amadurecimento de um ou de ambos os parceiros. Como essa situação nem sempre é equilibrada – os parceiros nunca estão precisamente no mesmo ponto de crescimento – é necessária uma cuidadosa compreensão do processo de ambos os parceiros, para fazer justiça às potencialidades subjacentes de cada um.

Jung discutiu os problemas do relacionamento num importante ensaio, "O Casamento Como Relação Psicológica". Quanto maior o grau de inconsciência de um ou de ambos os parceiros, sugeriu ele, tanto menos um casamento é uma questão de livre escolha consciente.[64] E isso decorre, de um lado, do fato de que, se uma pessoa for inconsciente com relação aos reais conflitos que a perturbam, a "causa", com frequência, é projetada no(a) parceiro(a). Por outro lado, dada a inevitável discrepância em termos de desenvolvimento psicológico entre duas pessoas, uma delas é, invariavelmente, o "recipiente" do processo da outra.[65] Nas melhores relações, os papéis de "recipiente" e "conteúdo" variam de acordo com aquilo que é exigido para o desenvolvimento das pessoas envolvidas.

TERAPIA FAMILIAR

Nos últimos anos, certo número de analistas junguianos recém-treinados recebera orientação profissional em terapia conjugal e individual, razão pela qual houve um aumento do interesse pela aplicação dos princípios junguianos ao tratamento de famílias tomadas como unidades. De modo algum isso altera o compromisso básico do analista junguiano para com o desenvolvimento do indivíduo contra as pressões coletivas desgastantes, vindas sejam da família ou da sociedade. Por conseguinte, de uma perspectiva junguiana, a terapia familiar enfoca a família como matriz da individuação de todos os seus membros. Caso isso seja impossível, o analista pode dissolver o formato de terapia familiar e trabalhar com um ou mais membros individualmente. Devido ao compromisso básico com o desenvolvimento individual, muitos analistas junguianos simplesmente não fazem terapia familiar.

Contudo, sob alguns aspectos, o conceito de estruturas arquetípicas encontra-se bem próximo da aplicação da teoria geral dos sistemas à dinâmica familiar. Essa abordagem permite o traçado de padrões inconscientes compartilhados pelos membros de uma dada família. Em seus primeiros trabalhos, Jung observou que os membros de uma mesma família com frequência manifestavam padrões paralelos de resposta à experiência de associação de palavras, indício de que compartilhavam de complexos inconscientes semelhantes.[66] Mais tarde, Jung observou, ainda, que os sonhos das crianças algumas vezes podem compensar a situação familiar, e não as próprias psiques delas em desenvolvimento.[67]

Podemos ver prontamente a ação de padrões arquetípicos na interação familiar: o sacrifício humano (com frequência voluntário) de um membro da família pelo "bem" desta (bode expiatório), o velho rei e a princesa assumindo os papéis de pai "protetor" e de filha queixosa, uma aliança entre irmãs casadas para manter seu matriarcado infantil inconsciente contra os homens com os quais se casaram etc. Uma mulher sonhou com a unificação de opostos em termos de grupos feminino-masculino – ela sonhou que era membro da "*fraternidade* de irmãs"!

Um dos mais tristes e tocantes aspectos do trabalho com famílias reside em ver de que modo crianças pequenas tentam salvar seus pais das próprias dificuldades neuróticas do casamento, e como elas se sacrificam no processo. O altruísmo da criança só é parcialmente consciente, mas é tão impressionante quanto seu egocentrismo observável.

O tabuleiro de areia pode ser tão útil na representação da psicodinâmica que opera no âmbito familiar quanto na revelação do relacionamento entre parceiros. O engajamento de toda uma família em construção num tabuleiro de areia é algo que requer alguma habilidade e direção, mas pode revelar uma dinâmica interpessoal difícil de ser trazida para a consciência por isso de interações verbais. À medida que a análise junguiana se torna mais prontamente disponível, uma abordagem junguiana poderia ter um impacto marcante na terapia familiar, embora a base do trabalho junguiano mantenha-se na díade analítica um para um.

HIPNOTERAPIA

No início de sua carreira, Jung, como Freud, utilizou a hipnose, mas depois a abandonou em favor de técnicas como a interpretação dos sonhos, que ele encarava "menos como técnica do que como processo dialético entre duas personalidades".[68] Numa carta escrita a um dos seus primeiros pacientes, diz Jung: "Não desisti da hipnose porque quisesse evitar o trabalho com forças básicas da psique humana, mas sim porque queria labutar com essas forças de maneira direta e aberta... Desisti simplesmente para me libertar de todas as vantagens indiretas desse método".[69] Em outro escrito, Jung afirma que desistiu da hipnose porque: "Não queria impor minha vontade aos outros... Queria proteger e preservar a dignidade e a liberdade do paciente, de maneira que ele pudesse levar a vida de acordo com sua própria vontade".[70]

Essas observações de Jung parecem referir-se essencialmente ao uso da hipnose como sugestão autoritária direta para remoção de sintomas e *ab-reação* da emoção. Embora a hipnose ainda seja usada dessa maneira, há modos muito mais sutis de introduzi-la no tratamento psicanalítico, modos esses que preservam os valores que preocupavam Jung e não reduzem a autonomia do paciente. Como a hipnose é, primariamente, um conjunto de técnicas e máximas de aplicação de sugestão intencional num quadro interpessoal íntimo, o terapeuta que faz uso da hipnose deve estar apoiado numa teoria mais ampla e abrangente do funcionamento psicológico para fundamentar sua orientação primária com relação à situação clínica.

O campo da hipnoterapia é forte em técnicas, mas fraco em compreensão teórica. O público em geral costuma sentir que a hipnose é um tipo de controle de uma pessoa por outra; mas quando usada de modo adequado, a hipnose é mais um processo de imaginação orientado ou tipo de meditação, do que qualquer tipo de controle da mente. Alguns dos conceitos errôneos a seu respeito decorrem do abuso da hipnose nas representações teatrais e nos filmes.

Os truques hipnóticos do palco e dos artistas de boates têm pouca relação com o uso sério da hipnose para fins de tratamento clínico. A "hipnose" de palco depende mais da autosseleção de voluntários desejosos de representar (muitas vezes acreditando que estão realmente hipnotizados). O velho truque de mostrar que uma pessoa está hipnotizada consiste em fazê-la manter-se rígida e colocá-la sobre duas cadeiras, com os ombros numa delas e os tornozelos na outra, o que apenas demonstra uma habilidade pouco conhecida de praticamente todas as pessoas. A permanência nessa posição provoca o uso dos maiores e mais fortes músculos do corpo – os mesmos músculos usados para a postura ereta, resistindo ao peso da gravidade.

Numa importante revisão das teorias da hipnose, Harold Crasilneck e eu dirigimos a atenção para aquilo que denominamos aspectos *psicoestruturais* da teoria da hipnose.[71] Com esse termo quisemos enfatizar que, quaisquer que sejam as teorias da hipnose a serem usadas, é preciso que tenham consistência com a estrutura da mente e do cérebro. A hipnose é uma maneira de fazer uso das habilidades não reconhecidas da mente humana, mas se apoia em outras teorias da mente, já que não é, por si mesma, uma concepção independente.

Por conseguinte, os hipnoterapeutas devem utilizar um conjunto de técnicas hipnóticas, mas devem aplicá-las no âmbito de alguma estrutura teórica da mente a que tenham aderido. Essa estrutura teórica mais ampla não deriva diretamente do campo da hipnose, mas a partir de outras concepções aplicadas à apreciação clínica da hipnose. Por essa razão, não deve haver um campo independente de hipnoterapeutas sem treinamento clínico fundamental além do treinamento em hipnose. Um campo independente de hipnose seria equivalente a treinar alunos para extrair dentes sem que fossem para a escola de odontologia aprender o que fazer na hipótese de ocorrerem complicações.

A visão junguiana da mente é especialmente útil na compreensão e na aplicação de técnicas hipnoterapêuticas. Na qualidade de modelo teórico mais abrangente da mente até agora disponível, a concepção junguiana permite que o terapeuta compreenda melhor o significado dinâmico da interação hipnótica, particularmente das imagens produzidas durante o estado hipnótico.

A produção do estado hipnótico é feita mais pelo paciente do que pelo hipnoterapeuta, que apenas pode fazer sugestões capazes de facilitar a entrada no estado de transe. Em termos junguianos, as condições de delimitação do ego vígil do paciente são controladas de maneira mais imediata e direta por meio das sugestões hipnóticas, o que permite a entrada do ego do paciente num estado semelhante ao da imaginação ativa (mas denominado, mais apropriadamente, *imaginação guiada,* pelo fato de as sugestões do terapeuta se originarem fora da mente do paciente).

Mesmo em um estado hipnótico leve, é possível que um bom sujeito da hipnose experimente em termos de imagens uma autonomia difícil de alcançar no estado de vigília. Neste, aquilo que as imagens representam tem mais probabilidades de se manifestar como mudanças sutis no tom emocional de base da consciência; a percepção desses elementos requer muito mais atenção e capacidade de percepção do que a maioria das pessoas não treinadas exibe. Tal como ocorre com os sonhos, as imagens que aparecem na hipnoterapia válida representam a movimentação e a interação de complexos na mente inconsciente – dos mesmos complexos que afetam a estrutura e a qualidade da autoimagem quando o paciente se encontra num estado comum de consciência.

As mesmas habilidades desenvolvidas na análise dos sonhos podem ser aplicadas diretamente à compreensão das imagens geradas no estado hipnótico. Numa técnica chamada *ponte de afeto (affect-bridge),* introduzida na hipnoterapia por John Watkins,[72] a semelhança, em termos de tom afetivo, é usada para identificar lembranças de diferentes estágios da vida vinculadas a um significado – ou, em termos junguianos, lembranças que apresentem o mesmo padrão subjacente de complexo. O contato com complexos na imaginação guiada do estado hipnótico produz, naturalmente, respostas afetivas, tal como ocorre no contato com complexos no estado de vigília ou na experiência de associação de palavras.

Esses estados de ego-afeto podem ser mais perfeitamente controlados na hipnose do que na interação vígil. O analisando sob hipnose pode ser solicitado a identificar-se com o conjunto de imagens que surge na mente, mas também pode ser levado a desidentificar-se deste mesmo conjunto de imagens, caso o afeto resultante seja por demais perturbador. Não se trata de uma sugestão para evitar, de maneira total e para sempre, o contato com o conjunto de imagens; trata-se de uma sugestão para evitar esse contato num dado momento. O contato repetido com esse conjunto de imagens é usado, mais ou menos como a desensibilização na terapia comportamental, até que o ego seja capaz de assimilar os conteúdos de um complexo sem ser sufocado por eles.

Por exemplo: alguém pode ter um sonho perturbador, no qual o ego onírico se sinta sozinho e abandonado. Após induzir um nível apropriado de transe hipnótico, pode-se pedir ao sujeito que reviva o sonho até que ele adquira um grau de verossimilhança, uma semelhança com a experiência onírica original. Em seguida, pode-se fazer a sugestão no sentido de "manter os sentimentos, mas deixar a cena se apagar". Depois disso, pode-se pedir ao sujeito da hipnose que "volte no tempo, recue no tempo, uma parte de sua mente está recuando no tempo, até encontrar outra lembrança, outra cena, que tenha *o mesmo tom emocional*, os mesmos sentimentos". Normalmente, o sujeito terá sido instruído a indicar que essa lembrança fora identificada pelo levantamento de um dedo designado.

Depois, é feita a sugestão de recriar e vivenciar a segunda lembrança, e assim por diante, prosseguindo-se enquanto essa exploração mostrar-se positiva. Em seguida, são examinadas as lembranças no estado hipnótico, no estado de vigília ou em ambos os estados. É frequente podermos observar semelhanças entre os eventos lembrados. Eles costumam agregar-se em torno de algum denominador comum, talvez um trauma à autoestima do paciente. O sonho original, por exemplo, pode envolver ansiedade em torno da não preparação para um exame na universidade. Usando-se o afeto de ansiedade como uma ponte, a segunda lembrança poderá ser a da descoberta, numa festa dos tempos de colégio, de que a namorada estava flertando com outro homem. Uma terceira lembrança poderia incluir a ridicularização, por parte do pai, por causa de uma falta na infância. A identificação das várias lembranças com um mesmo tom emocional oferece uma excelente área de investigação analítica.

A hipnose pode ser usada de muitos outros modos além da exploração de conjuntos de imagens. A hipnose é um poderoso instrumento de padrões habituais não saudáveis, tais como fumar ou comer compulsivamente, assim como na redução de uma dor intratável, como ocorre em alguns casos de enfermidades terminais. Esses usos da hipnose têm pouca relação com a compreensão junguiana, embora o modelo junguiano seja útil para lidar com os aspectos de transferência/contratransferência que os acompanham.

O uso da hipnose apresenta vantagens e desvantagens. Algumas pessoas não são bons sujeitos hipnóticos. Embora sucessivas tentativas de indução hipnótica possam permitir que uma pessoa dessas penetre mais profundamente num estado de transe, esse estado pode ser insuficiente em termos de resultados práticos. A hipnoterapia não transcorre necessariamente de maneira mais rápida que outros tipos de psicoterapia. A indução e manutenção de um estado hipnótico requer uma parcela significativa do tempo do terapeuta. Além disso, o material produzido, embora valioso, não vem de um nível tão profundo da mente como aquele de onde vêm os sonhos. A compreensão derivada das imagens produzidas pela hipnoterapia ainda deve ser aplicada à personalidade vígil, o que pode exigir a análise individual ou grupal simultaneamente.

A hipnose também pode acelerar o desenvolvimento das reações de transferência, que, se forem marcadas, devem ser tratadas nos termos psicoterapêuticos convencionais. Lembro-me de um caso em que a súbita erupção de uma transferência negativa (num paciente que costumava ter uma relação positiva com o terapeuta) ocorreu quando da exploração de um sonho sob hipnose leve. Nesse caso, foi possível ver, de maneira dramática, o modo pelo qual o analisando se identificou, sem saber, com uma figura do sonho, ao mesmo tempo que identificou o terapeuta com uma figura persecutória do mesmo sonho. Foram necessárias mais de 48 horas para retirar essa distorção da consciência normal do paciente, provocada pela identificação com os complexos do sonho. Nesse ponto, o material descoberto pela experiência mostrou-se útil no processo analítico em vigor. Contudo, esses eventos são evidentemente indesejáveis se ocorrerem nas situações em que o terapeuta não é treinado para lidar com material inconsciente e com o seu impacto no campo de transformação.

Freud abandonou a hipnose porque a melhoria ab-reativa obtida pela descarga de lembranças emocionais durante a hipnose não persistia. Jung abandonou a hipnose porque não entendia de que modo ela produzia a cura.[73] Portanto, Freud e Jung desejavam uma compreensão mais profunda dos processos inconscientes envolvidos nos fenômenos da hipnose. A hipnose continua a ser um valioso e impressionante instrumento do arsenal do clínico. A futura integração entre as técnicas hipnóticas e a teoria junguiana facilitará ainda mais as aplicações da hipnoterapia no contexto da análise junguiana clássica e da interpretação de sonhos.

Embora atualmente só utilize a hipnoterapia numa pequena porcentagem de casos, não considero seu uso cuidadoso incompatível com a interpretação dos sonhos e outras técnicas junguianas mais tradicionais. Ouso imaginar que o próprio Jung concordaria, se estivesse vivo e consciente dos desenvolvimentos da compreensão da hipnose que ocorreram desde seus primeiros anos de trabalho com Freud.

RESUMO

1) À medida que a análise junguiana for se tornando um campo de experiências mais vasto, será possível ampliar as modalidades de tratamento, para além da abordagem clássica. Esses desenvolvimentos serão influenciados e orientados por uma compreensão mais abrangente da psique.

2) Os analistas junguianos treinados em outras técnicas podem, a um só tempo, enriquecer o campo da psicologia analítica e levar a compreensão mais profunda da psique, derivada da experiência junguiana, para uma gama mais ampla de aplicações clínicas.

"Na interação que mantêm entre si, a mãe e a criança formam, juntas, o vínculo emocional essencial a um relacionamento significativo."
(Foto: cortesia de Jessie, à esquerda, e Vicki)

Capítulo 8

O EGO EM PROCESSO DE INDIVIDUAÇÃO

A análise é um processo formal de autorreflexão e compreensão, destinada a libertar as pessoas da submissão desnecessária aos complexos dominantes em sua psicologia pessoal. A análise junguiana é igualmente voltada para ajudar as pessoas a encontrarem o caminho de sua própria individuação, algo que jamais pode ser definido em termos gerais ou em termos de ordem cultural. A análise é uma janela para a individuação. A individuação traduz-se numa vida mais profunda. O objetivo da individuação é uma vida cheia de significados.

O PESSOAL E O TRANSPESSOAL

Como crianças, entramos num mundo amplamente complexo; no entanto, há padrões de comportamento entre a criança e a mãe que levam o recém-nascido a se engajar num profundo relacionamento com a mãe. As observações da interação inicial entre a mãe e a criança mostraram as transações surpreendentemente precoces que têm o objetivo de forjar vínculos emocionais. O recém-nascido se virará para a face tocada por uma mão – o chamado reflexo de base –, provavelmente uma resposta inata destinada a ajudar a criança a encontrar o seio que a nutre. Essa resposta da criança também provoca um impacto emocional na nutriz. Na interação que mantêm entre si, a mãe e o filho, juntos, formam o vínculo emocional essencial a um relacionamento significativo.

A observação de crianças no primeiro ano de vida demonstrou que uma criança responderá a um padrão da face humana, de início, com um sorriso, reação que por vezes exibe diante de um pedaço de cartolina no qual estejam representados, tão somente, olhos, testa, sobrancelhas e nariz. Trata-se de algo análogo à observação experimental de que pintinhos recém-nascidos piam quando veem passar, por sobre suas cabeças, uma cartolina em forma de gavião, que desliza por um arame, mas não respondem se essa mesma forma for movimentada sobre eles com a cauda em primeiro lugar. Trata-se de padrões inatos que levam o recém-nascido a se relacionar com o ambiente circundante.

Todavia, aproximadamente por volta dos seis meses de vida, a criança passa a apresentar respostas diferenciadas, sorrindo quando vê o rosto da mãe, mas mostrando-se desgostosa quando vê um rosto estranho. É bem possível que esse ponto seja o início do surgimento de uma esfera pessoal de interação a partir da unidade original indiferenciada do mundo infantil. Embora nasçamos com potenciais inatos (e não há duas pessoas totalmente iguais nesse plano), vivemo-los no contexto de um mundo pessoal composto a partir das interações familiares, sociais e culturais. O início desse drama pessoal, da história de vida que cada um de nós escreve, tem início no mesmo momento em que a criança responde à mãe de maneira diferenciada.

Emergimos de um mundo arquetípico e construímos um mundo pessoal para nós mesmos a partir de qualquer material que o destino e as circunstâncias nos ofereçam. A mãe, para a criança, é portadora de todas as possibilidades arquetípicas do arquétipo da mãe, presumivelmente formado ao longo de um período incomensurável de tempo pela assimilação inconsciente, na espécie humana, da massa inexprimível de experiência da maternidade. Essas possibilidades arquetípicas são gradualmente incorporadas, no limite do possível, à imagem em desenvolvimento da mãe pessoal. Mas nenhuma mãe real pode ser um portador adequado da ampla gama de possibilidades da mãe arquetípica. Tanto a criança quanto a mãe não têm consciência desse processo, e sentem que o relacionamento se dá apenas entre elas. Todavia, num estágio posterior da vida, nos sonhos e nas produções da imaginação, é possível observar que as possibilidades arquetípicas não realizadas pela mãe pessoal ainda se encontram presentes na psique, prontas para enriquecer a mente sob maneiras não percebidas de modo suficiente na infância.

As imagens oníricas que mostram figuras maternais indicam com frequência a tentativa desses padrões arquetípicos de entrar em contato com o ego. O mesmo ocorre, com efeito, com o arquétipo do pai. Essas pressões interiores pela experiência de imagos parentais por trás das imagens do pai e da mãe pessoais respondem por uma larga parcela da transferência positiva para o analista.

Uma mulher cujo relacionamento com a mãe pessoal era insatisfatório, mesmo na infância, teve, após o suicídio do esposo, certo número de experiências que mostravam uma tentativa de sua psique no sentido de despertar o aspecto positivo do arquétipo da mãe – o aspecto que havia sido vivenciado de maneira insuficiente com sua mãe pessoal. Numa experiência em estado vígil, ela teve uma visão da Virgem Maria durante a missa. Num sonho, ela teve a experiência de Maria chorando; no mesmo sonho, teve a experiência de um breve encontro com seu falecido marido.

Na idade adulta, é comum que o ser humano não se recorde dos primeiros anos de vida, época em que o mundo cotidiano do ambiente familiar era construído a partir das potencialidades arquetípicas. Essas possibilidades atualizadas são sentidas como eventos "reais", e aquelas que permanecem adormecidas no inconsciente não existem para a mente consciente, embora possam se configurar como poderosos padrões que numa etapa posterior da vida serão necessários.

No estado comum, a mente humana adulta tem consciência da incomensurabilidade do universo físico e do vasto número de pessoas existentes no mundo, mas é relativamente inconsciente do alcance e da complexidade da psique objetiva que há no interior das pessoas. Em geral, apenas as personalidades introvertidas, ou o extrovertido que, por meio da força da individuação, desenvolve a introversão na segunda metade da vida, têm consciência da realidade do mundo interior. A esfera pessoal do indivíduo é transcendida, tanto interior quanto externamente, por realidades transpessoais. Para o *puer aeternus,* que tende a identificar-se com potencialidades não atualizadas, as exigências objetivas do mundo exterior constituem um antídoto para as perigosas manifestações de inflação que impediriam a pessoa de atualizar a própria vida. Para a pessoa imposta ao peso excessivo das dezenas de milhares de coisas do mundo exterior, a percepção do universo interior é um contraste revigorante e bem-vindo.

A humanidade é obrigada a viver em ambos os mundos, mantendo a tensão que surge inevitavelmente entre eles. Observando um amplo número de casos analíticos ao longo de décadas, pareceu-me claro que o Si-mesmo deseja que sejam obtidas duas realizações:

1) a formação de um ego forte;
2) que o ego, uma vez formado, relacione-se outra vez com as camadas profundas da psique. Se a pessoa fugir da vida (uma causa costumeira de neurose), os sonhos parecem pressionar para que ela trabalhe com essa resistência. Num bloqueio sério, os sonhos podem, até mesmo,

tornar-se ameaçadores para o ego onírico, como a empurrar a pessoa após o fracasso da persuasão. Embora possa parecer apenas um impedimento para que se viva de maneira completa, na verdade a neurose tem um propósito positivo, tendo em vista que seus sintomas forçam o ego a enfrentar as tarefas de individuação das quais fugiu.

Uma vez que haja uma forte estrutura do ego, os sonhos costumam revelar possibilidades de um relacionamento mais profundo com o inconsciente. Os sonhos de iniciação podem ocorrer nesse momento. É como se o centro regulador da psique, o Si-mesmo, fizesse pressão para o desenvolvimento de uma estrutura do ego com o propósito de estabelecer um ponto de vista no mundo. *Então,* o Si-mesmo faz pressão para que as camadas profundas da psique sejam vistas. Em resumo, a psique deseja ver a si mesma!

Apenas uma personalidade fortemente desenvolvida pode suportar as tensões decorrentes da visualização das camadas profundas do inconsciente. Jung era dotado de tal personalidade, um poderoso modelo, segundo afirma Edward F. Edinger, do modo como o homem deverá ser na época que virá – com os pés firmemente fincados na terra, enquanto contempla o céu cheio de estrelas que nos cerca por fora e a vastidão da psique objetiva que se encontra no seu interior.[74] A humanidade é a única forma de vida conhecida que pode suportar a tensão entre esses dois universos e, talvez, levá-los a ficar num harmonioso relacionamento.

Pelo trabalho da humanidade, o universo pode tornar-se mais consciente de si mesmo. E o único portador conhecido desse imenso processo é o ser humano individual que labuta no processo pessoal e ímpar de individuação.

A CIRCUM-AMBULAÇÃO EM TORNO DO SI-MESMO

Em parte com base nos paralelos do yoga, mas, primariamente, em suas próprias experiências e sonhos, Jung concebeu o processo de individuação como uma circum-ambulação ("andar em torno") do Si-mesmo arquetípico realizada pelo ego.[75] Tal como um ponto situado na periferia de uma roda, o ego sente que está circulando continuamente em torno do "ponto fixo", o eixo da roda, o Si-mesmo. É como se toda a nossa experiência fosse parte da vida do Si-mesmo. Somos incapazes de vivenciar imediatamente a totalidade do sentido da nossa própria vida individual, embora possamos ter consciência intuitiva de que nos movemos (circum-ambulamos) em torno de um centro virtual do sentido, o Si-mesmo arquetípico.

A circum-ambulação é um antiquíssimo ritual de demonstração de respeito para com santuários e objetos sagrados. No Tibete tradicional, a circum-ambulação em torno dos templos era feita na direção dos ponteiros do relógio (o que simboliza a consciência crescente) enquanto a dos templos xamanistas Bon era feita na direção contrária.

Parece-me que a imagem do Si-mesmo no centro foi captada no verso de T. S. Eliot, "no ponto fixo do mundo que gira",* presente no poema "Burnt Norton", o primeiro dos *Quatro Quartetos*. As imagens prosseguem, parecendo expressar a ambiguidade do Si-mesmo arquetípico, nos seguintes versos:

> [...*Neither flesh nor fleshless;*
> *Neither from nor towards;...*
> *But neither arrest nor movement. And do not call it fixity,*
> ...*Neither ascent nor decline.* ...]

> [...Nem carne nem fluido;
> Nem de nem para;...
> Mas nem parada nem movimento. E não o chame fixidez,
> ...Nem ascensão nem declínio. ...]

Eliot acrescenta: "Não fosse pelo ponto, o ponto fixo, / Não haveria dança, e há apenas a dança".[76]**

Na qualidade de produtor dos sonhos, o Si-mesmo arquetípico confronta continuamente o ego com imagens oníricas que simbolizam o próprio Si-mesmo. O ego vê suas ilusões egocêntricas refletidas na visão mais ampla do Si-mesmo, um reflexo

---

* [At the still point of the turning world.]

** [Except for the point, the still point,/There would be no dance, and there is only the dance.]

que costuma ser bem suave, contendo até mesmo certo grau de deleite. Um homem contou que participara de uma mesa-redonda de discussão de vários filmes incomuns numa reunião de uma organização humanista de psicologia. Embora estivesse cansado e tivesse sido forçado a exigir muito de si para ter energia à noite, ele teve de si a imagem de um ótimo expositor – brilhante, sucinto, paciente – e foi bastante aplaudido, tendo recebido muitos elogios no final da noite. Mas o que o Si-mesmo, na qualidade de produtor dos sonhos, pensava do seu maravilhoso desempenho? Na mesma noite, ele sonhou que estivera masturbando-se em público!

Num momento essencial da minha vida, tive um sonho que me pareceu uma mera realização gulosa de um desejo – sonhei com uma imensa casquinha de sorvete na qual haviam sido espalhados pedacinhos de palmeira. E qual era o nome dessa mistura no sonho? *Palm Sundae!* Minha associação com *Palm Sunday* [Domingo de Ramos] foi "um triunfo momentâneo que precede uma dolorosa crucifixão". Eu era muito jovem e sem experiência na época para compreender ou observar corretamente a advertência suave, quase divertida, contida no meu sonho. Mas a verdade é que, mais tarde, fui "crucificado" por um enorme conflito. Felizmente, a situação não envolvia apenas o motivo da crucifixão, mas o tema mais amplo da morte e da transformação. Os eventos dolorosos que o sonho do *Palm Sundae* previra levaram a mudanças profundas e necessárias que há muito deveriam ter ocorrido.

O tom desses dois sonhos, em que é feita uma piada com o ego de modo muito sério, dá sabor ao modo como o Si-mesmo lida com o ego quando estamos tentando seriamente encontrar uma via dentre as muitas opções da individuação. Tendo observado grande número de sonhos desse tipo, de grande número de analisandos, tenho a impressão de que o Si-mesmo é um amigo benevolente, mais sábio e mais velho. O Si-mesmo sempre parece estar preocupado com o estado do ego, e ainda assim é infinitamente paciente e não judicativo com relação às falsas voltas que o ego dá.

FORMAS "NEGATIVAS" DO INCONSCIENTE

O inconsciente pode mostrar uma face dura e aparentemente negativa quando o ego evita, continuadamente, um passo necessário ao desenvolvimento. Em tais situações, costumam ocorrer sonhos nos quais algo ou alguém tenta invadir a casa em que o ego vive. Às vezes, o intruso é representado como algo primitivo – um elefante, um macaco, uma aranha de dimensões desmesuradas etc. Também vi imagens oníricas de um guerreiro primitivo montado a cavalo, índios em guerra, grandes máquinas malévolas, vampiros etc. Esse tipo de sonho tem como característica o fato de a figura intrusa normalmente não tentar ferir o ego, mas insistir em entrar na casa em que este se encontra. Invasões semelhantes ocorrem no conjunto de imagens produzidas pela imaginação ativa autêntica, quando o ego está necessitando movimentar-se.

Em uma exposição de arte, um homem ficou fascinado por um estranho quadro de um veleiro com uma grande aranha cobrindo-lhe a vela enfunada. Mais tarde, na imaginação ativa, ele tentou reproduzir o quadro na mente como cena dramática, colocando-se a si mesmo num pequeno bote ao lado da imagem, com o propósito de compreender o fascínio que esta lhe causava. Para seu horror, a aranha desceu do mastro e passou a persegui-lo na água, aparentemente, pretendendo devorá-lo. No último momento, contudo, ela se virou para ele, revelando-lhe a genitália feminina. Surpreso, ele percebeu que o verdadeiro intento da aranha era ser fertilizada para poder reproduzir. Dentre muitos outros sentidos arquetípicos – o mais comum dos quais é a mãe negativa e devoradora –, a aranha também representa a tecelã do mundo, aquela que tece o mundo a partir de si mesma – a imagem de Maya, criadora da ilusão.

Outro homem contou que correu no Central Park de Nova York, sob o efeito de drogas, com o delírio de que uma grande aranha negra estava em sua cabeça. Com simpatia, expressei a opinião de que a experiência deveria ter sido assustadora. Não, explicou ele, a aranha estava tentando fazer um buraco na parte superior da sua cabeça que, de alguma maneira, o ajudaria. Esse homem não conhecia a prática tibetana de yoga tântrico que é destinada a produzir uma "abertura" na parte superior da cabeça para permitir que o espírito escape do corpo no momento da morte.

Não é apenas nas imagens oníricas que o Si-mesmo pode lidar com o ego de maneira inflexível. Às vezes, parece que, se o ego insistir em evitar um passo necessário no processo de individuação, o Si-mesmo pode iniciar um modo involuntário de experiência necessária. Um homem bastante extrovertido, que na metade da vida recusava-se, continuadamente, a parar e examinar o sentido de sua própria existência, fraturou gravemente uma perna quando esquiava, sendo obrigado a ficar inativo por vários meses. Durante essa inatividade forçada, ele finalmente passou a considerar o lado introvertido negligenciado de si mesmo. De fato, jamais podemos estar certos de que esses acidentes sejam inconscientemente determinados em lugar de serem apenas resultados de "causa e efeito", mas a acumulação de muitas observações leva-me a ser cauteloso antes de descartar essas coincidências aparentemente significativas.

A etiologia das doenças psicossomáticas é menos discutida. Está claro, em muitos casos, que a negligência com relação à resolução de um sério conflito consciente pode levar à doença física.[77] Exceto quando expressa no sistema muscular voluntário, tal como ocorre na paralisia histérica de um membro, na incapacidade de falar etc., a enfermidade não parece ser uma expressão simbólica direta do conflito subjacente. Na verdade, a enfermidade é mediada pela reação crônica do corpo às emoções geradas pelo conflito suprimido. Mas a atribuição de uma importância exagerada a essa hipótese psicossomática pode levar a sentimentos de culpa desnecessários. Conheci um homem que morria de câncer e foi confrontado pelo seu terapeuta com a pergunta de sondagem: "Por que você quer morrer?". Mesmo que houvesse um componente psicológico no câncer, na época em que ocorreu a alteração física do corpo, a condição do homem não poderia ser tratada responsavelmente apenas pela psicologia.

Tanto as formas positivas como as negativas que o Si-mesmo assume diante do ego parecem estar a serviço da individuação. Na própria perspectiva longa de, digamos uma análise prolongada, quase tudo pode ser considerado a serviço do misterioso processo de circum-ambulação em torno do Si-mesmo, um caminho circular, e por vezes em forma de serpentina, com retornos e fugas confusas, mas, não obstante, um processo guiado e em movimento – caso seja visto da perspectiva adequada. Certa vez, já idosa, Barbara Hannah, analista de Zurique treinada por Jung, observou que o valor básico de uma vida longa consiste em ver o resultado de muitas outras vidas! Numa tal perspectiva, as imagens positivas e negativas do Si-mesmo parecem fundir-se e forjar um padrão que não pode ser definido de modo preciso dentro das categorias convencionais do pensamento consciente e que é, apesar disso, profundamente significativo e coerente.

O ego, ao que parece, não tem como decidir se vai reconhecer e interagir com o Si-mesmo arquetípico, mas pode realmente decidir quanto à qualidade da interação. O Si-mesmo pode ser objeto da circum-ambulação do ego, feito de uma maneira reverente e responsável, mas independente – ou o ego pode ser forçado pela enfermidade, pelos distúrbios da consciência ordinária e pelas imagens simbólicas (incluindo-se aí sonhos e "acidentes") a dar atenção aos aspectos não vividos da individuação que preocupam o Si-mesmo.

E qual o propósito da circum-ambulação em torno do Si-mesmo? Mais uma vez, Eliot oferece uma imagem poética para aquilo que é difícil descrever em prosa. Em "Little Gidding", na conclusão dos *Quatro Quartetos,* ele sugere que, após termos completado uma jornada, conhecemos nossas origens pela primeira vez, talvez como parte da totalidade em torno da qual circum-ambulamos:

> [*We shall not cease from exploration*
> *And the end of all our exploring*
> *Will be to arrive where we started*
> *And know the place for the first time.*][78]

[Não deixemos de explorar/E o final de toda a nossa exploração/Será chegar ao ponto de partida/E conhecê-lo pela primeira vez.]

Mais adiante, no mesmo poema de conclusão, essa totalidade é denominada "uma condição de total simplicidade (Que custa nada menos que tudo")·[79]*

---

* [A condition of complete simplicity/(Costing not less than everything).]

FORMAS DE MANDALA

Uma das formas simbólicas na qual o Si-mesmo arquetípico se manifesta é a mandala. As mandalas são formas tradicionais usadas em meditação no yoga budista e hindu. As imagens tradicionais são organizadas de acordo com um padrão centralizado, com frequência envolvendo um quadrado e um círculo, normalmente dividido em quatro quadrantes. Em cada um dos quadrantes, era colocada uma figura religiosa, ao passo que, no centro da mandala, ficava a figura principal de que as outras figuras eram aspectos. Uma forma cristã de mandala teria Cristo no centro com os quatro apóstolos evangelistas, talvez em suas formas animais simbólicas, nos quatro quadrantes. Um motivo semelhante da antiga teologia egípcia consistiria em Hórus cercado pelos quatro filhos.

Jung usou o termo mandala para descrever imagens que encontrou nos sonhos e criações inconscientes dos seus pacientes. Em seu uso psicológico, a mandala se refere a uma imagem que mostra um padrão centralizado no qual tanto o centro como a periferia são enfatizados. Usando-se essa definição, as mandalas podem ser vistas com frequência em sonhos: um edifício cúbico com uma fonte no centro, uma praça vazia com um edifício em cada canto etc.

A mandala representa uma apresentação extremamente ordenada do Si-mesmo arquetípico. Portanto, trata-se de algo que tem mais probabilidades de ocorrer espontaneamente, quando o ego tem necessidade de encontrar o centro. Algumas vezes, vi exemplos muito notáveis dessa produção espontânea do simbolismo da mandala no tabuleiro de areia. Há alguns anos, vi os desenhos feitos pelo dedo de uma mulher que estava internada no hospital num estado de dissociação esquizofrênica. Ela reconstruiu uma personalidade estável enquanto se encontrava no hospital e recebeu alta. Quando se encontrava em estado mais instável, pouco depois de sua admissão, seus desenhos feitos a dedo representavam formas praticamente puras de mandala. À medida que seu ego foi se tornando mais estável, os desenhos assumiram uma natureza mais fluida.

Nesse exemplo, tal como ocorre em outros tantos, é como se o inconsciente quisesse um ego forte o suficiente para suportar a pressão inconsciente, e tenta compensar um ego fraco com imagens de ordem magnificadas do inconsciente. É verdade que esse esforço compensatório pode fracassar, situação na qual o ego será sufocado pelos conteúdos inconscientes, tal como ocorre na esquizofrenia aguda.

CRUCIFICAÇÃO E ILUMINAÇÃO: A CRUZ E A ÁRVORE BODHI

Bem antes do surgimento da psicanálise, no início do século XX, os grandes sistemas religiosos ofereciam suas respostas às perenes questões humanas a respeito do lugar da humanidade no Universo e sobre como viver de maneira significativa. Muitos sistemas de pensamento religioso surgiram e desapareceram, assim como muitos permanecem.

Dentre as religiões vivas do mundo, o Islamismo, o Judaísmo e o Cristianismo são "filhos do livro", tendo algumas tradições e figuras das escrituras comuns entre si, embora a interpretação de cada uma delas seja diferente. O Budismo é, de certo modo, mais uma psicologia que uma religião, não contando com nenhuma concepção específica de divindade. Entretanto, ele funciona como modo de conferir sentido e compreensão ao mistério da existência para milhões de pessoas. Há divisões e subdivisões no interior de todas as grandes religiões e, por vezes, a animosidade costuma ser mais pronunciada entre as variantes de uma fé do que entre as diferentes crenças religiosas. O rosa é, como se diz, inimigo do vermelho, e não do azul.

Há alguns anos, tive uma visão espontânea que me pareceu envolver a imagética cristã e budista. Essa visão me ocorreu numa época de grande tensão pessoal, época na qual eu também me perguntava se sobreviveria fisicamente. Minha mente apresentou, involuntariamente, a pergunta: Quando o Cristo Crucificado disse: "Meu Deus, meu Deus, por que me abandonaste?"– qual a resposta de Deus? Tão logo a pergunta surgiu, veio a resposta espontânea (com uma sensação de choque provocada pela mudança de tom). Na minha visão, Deus disse: "Apenas relaxe por um minuto, Querido, e cairás imediatamente!".

A visão se foi tão rapidamente quanto veio. Mas me deixou, para dizer o mínimo (tal como minha outra visão, discutida na

Introdução, de Jung como uma nave movida a excremento), perturbado. Fora a visão profanadora? Eu estava quase aterrorizado com a ideia de examiná-la, temendo descobrir a resposta. Mas depois, quando me abri de fato para suas implicações, pareceu-me imediatamente claro que a imagem central do Cristianismo era a crucifixão de Cristo e o momento mais significativo desse evento foi a relatada queixa de Cristo dizendo-se abandonado por Deus. A "réplica" de Deus parecia-me deslocada. E, no entanto... Veio-me subitamente a ideia de que, na minha visão espontânea, a pergunta de Cristo havia sido feita dentro da tradição cristã, ao passo que a resposta de Deus havia sido dada de uma perspectiva budista.

Na concepção budista, todo o sofrimento da velhice, da doença e da morte é, de certo modo, o resultado do desejo. Sem desejo, não há perda. Mesmo o medo da morte se acabaria se não desejássemos nos apegar à vida. A implicação da visão era o pensamento, até então novo para mim, de que Cristo era um participante mais voluntário do que eu havia imaginado, de que ele tinha de esforçar-se para "manter-se preso" à cruz e de que, se tivesse relaxado (em termos budistas, "desprendido"), ele teria "caído".

A ideia de Cristo mantendo-se voluntariamente preso à cruz, em lugar de ter sido pregado à força nela, é representada de forma impressionante no quadro de Salvador Dali, *Cristo de São João da Cruz,* que sempre me causou espanto em termos de suas implicações espirituais. A perspectiva é bem incomum: a cena da crucifixão flutua no ar como uma imagem espiritual, ao passo que é vista como se alguém, no céu, estivesse olhando para baixo sobre a cabeça de Cristo.

Em uma reunião da Sociedade Internacional de Hipnose – SIH (International Society of Hypnosis– ISH), realizada no Museu de Arte de Glasgow, Escócia, surpreendi-me ao encontrar "acidentalmente" o quadro original de Salvador Dali pendendo da parede no final de um longo corredor de galeria. Como sempre parece ocorrer, o quadro original transmitia muito mais que as reproduções e impressões que eu já havia visto. A implicação psicológica que me veio à mente foi de que a crucifixão de Cristo, a imagem central do Cristianismo, era uma imagem profunda da transformação por meio do sofrimento, uma imagem não apenas de morte, mas sim de morte-transformação-renascimento.

Em contrapartida, a imagem central do Budismo é Gautama Buda em estado de meditação, algumas vezes sob a árvore Bodhi, onde obteve a iluminação depois de renunciar às inúteis práticas ascéticas que quase lhe haviam provocado a morte. Essa imagem budista central é uma imagem da transformação por meio do "desprendimento". Assim, a imagem central do Cristianismo é de transformação por meio da fixação e do sofrimento extremos, ao passo que a imagem central do Budismo é de transformação mediante um desprendimento levado ao extremo.

No entanto, essas duas grandes imagens religiosas são, na realidade, lados opostos de um mesmo processo subjacente. Elas se assemelham a duas operações alquímicas, *mortificatio* (mortificação)

Cristo de São João da Cruz, quadro de Salvador Dali, 1951.
(Galeria de Arte, Glasgow)

e *solutio* (solução), psicologicamente semelhantes à mortificação e à dissociação, respectivamente. Ambas as operações são necessárias à formação da Pedra Filosofal, uma imagem do valor mais alto e duradouro, capaz de transmutar valores menores em si mesmo, de "transformar chumbo em ouro". Em termos psicológicos, a transformação pela fixação e pelo sofrimento e a transformação pelo desprendimento são necessárias em vários momentos da vida. Juntas, elas compõem um modelo mais completo para a transformação da condição humana comum que nenhuma delas constitui isoladamente.

Ainda não estou certo a respeito de todas as implicações dessa visão, tantos anos depois. Mas o efeito e caráter imediato do seu impacto sobre mim não arrefeceram. Alimento grandes esperanças pelo início de um sério diálogo budista-cristão – não em termos de discussões de ordem técnica e teológica, mas da sobreposição de suas respectivas imagens, da qualidade tocante de suas importantes imagens religiosas. O Cristo Ressuscitado e o Buda Compassivo podem revelar-se como imagens complementares do Caminho.

PREPARAÇÃO PARA A MORTE

Assim como que o objetivo da primeira metade de vida é o estabelecimento de um forte ego no mundo, o objetivo da segunda metade é a reconciliação entre o ego e o sentido da vida diante da morte inevitável.

Ignorar a tarefa de crescimento do ego na primeira metade da vida é uma atitude tão descompassada com o movimento natural da vida quanto o é ignorar a inevitabilidade da morte como o "objetivo" da segunda. Jung afirmou que a maneira correta de terminar a vida consiste em viver como se tivesse mil anos de vida, literalmente "sobreviver à própria vida".[80] Mas essa parece ser uma prescrição impossível para o ego que vê a morte como a aniquilação de todo o conhecido, de tudo o que importa no mundo.

A experiência com grande número de sonhos dá a impressão de que os sonhos são produzidos por uma parte de nós, teoricamente, o Si-mesmo arquetípico, que é, em certos pontos, muito mais amplo que a personalidade-ego com a qual nos identificamos costumeiramente. A parte de nós responsável pela produção dos sonhos mostra-se repetidas vezes mais sábia e mais compreensiva do que a personalidade-ego, e certamente não é menor que o ego. O inconsciente é, sem dúvida, mais do que um simples repositório de desejos e impulsos reprimidos ("as exigências que o corpo faz à mente") postulado por Freud em seu modelo mecanicista, do século XIX, da psique.

E de que maneira a parte produtora de sonhos que existe em nós, o Si-mesmo, vê a premente questão da morte? Se os sonhos são a autorrepresentação da psique, e se funcionam de maneira compensatória com o intuito de equilibrar a consciência, de que modo os próprios sonhos veem a morte?

Os sonhos *preparam* a psique para a morte. Mas parecem ver a morte em termos não mais dramáticos do que veem uma viagem, um casamento ou alguma outra mudança importante da vida. Freud poderia ter explicado isso teorizando que, como o inconsciente não tem experiência da morte, não a representa nos sonhos. Mas a questão se reveste de um caráter mais misterioso do que o sugere a abordagem reducionista de Freud. É como se os sonhos de uma pessoa que se aproxima da morte física não se preocupassem mais com a aproximação desta do que com qualquer mudança importante *na vida*.

Há alguns anos, uma grande amiga minha morreu de câncer. Ela sabia que se encontrava num estado terminal e preferiu não receber qualquer tratamento médico, tendo voltado para casa. No decorrer de suas últimas semanas de vida, eu a visitei quase que diariamente. O principal tópico de nossas conversas eram seus sonhos. Ela nunca havia sido minha paciente e, pelo que sei, nunca havia feito psicoterapia formal. Mesmo assim, tinha um profundo interesse pela natureza da vida e pelos sonhos. Na época de sua morte, seus dois filhos eram adolescentes e um deles causava-lhe preocupação. Ela se preocupava especialmente com o que poderia acontecer com esse filho após a sua morte.

Num sonho que teve duas semanas antes de morrer, ela se encontrava junto com o filho que lhe causava preocupação numa clínica bastante fantástica de tratamento de mães e filhos-problema. O tratamento consistia em deitar-se com o filho numa grande otomana de metal coberta por intricados entalhes "hindus". Então, o sofá girava e se elevava suavemente no ar. Se ele se precipitasse para baixo de repente, algo que não machucava a mãe nem o filho, indicava que o filho, no final das contas, ficaria bem. No sonho, ela e o filho deitaram-se no sofá, ele girou e se elevou no ar e se precipitou para baixo. A partir desse momento, ela deixou de lado suas preocupações com o futuro do filho após sua morte. Com delicadeza, o sonho permitiu que ela deixasse de lado certo sentimento de responsabilidade com relação ao filho, preparando-a, dessa maneira, para sua própria morte.

O último sonho que discutimos pouco antes de sua morte tratava de uma corrida de cavalos. Os cavalos estavam se colocando na posição para iniciar a corrida. O ego onírico dela estava excitado e interessado. Parecia um sonho de preparação da psique para a morte. Se pensarmos que o corpo pode ser representado em sonhos como um animal, muitas vezes como um cavalo,[81] o sonho dizia que seu corpo estava sendo preparado para uma corrida, na verdade, a última corrida. Ela mesma não estava na corrida, mas a observava com interesse. Esse sonho ocorreu cerca de doze horas antes de sua morte física.

Mais tarde eu soube que, antes de morrer, minha amiga havia começado a transpirar profusamente. Ela chamara sua enfermeira, uma gentil senhora negra que a conhecia há muitos anos. "Mary, estou tendo suores de morte?". A enfermeira dissera pressurosamente que não, embora já tivesse cuidado de outras pessoas moribundas e soubesse que aquele profuso suor podia preceder a morte. Esse suor equivalia à última corrida do corpo, na qual eram usados todos os mecanismos do sistema nervoso autônomo numa tentativa final e impossível de prolongar a vida.

Até então, eu não ouvira falar de "suores de morte", mas quando investiguei descobri que eram parte da sabedoria da linguagem popular da zona rural do Texas.

Pouco depois da morte de minha amiga, uma mulher veio a mim com um sonho que não compreendera. No sonho, a amiga morta havia se aproximado de sua porta com um desconhecido e lhe havia entregado alguns *pennies* (centavos) com a instrução de que ela os entregasse a James Hall. A sonhadora não tinha associações com os *pennies*. Mas eu tinha! Vários anos antes da morte da minha amiga, ela, eu, seu marido e outro amigo visitamos a Inglaterra no último dia de circulação dos antigos *pennies* ingleses de formato grande como moeda. O marido da minha amiga havia comprado algumas máquinas antigas que só funcionavam com aqueles grandes *pennies* ingleses. Ele fora de banco em banco, reunindo sacolas deles (bastante pesadas!) para levar para os Estados Unidos para usar em suas máquinas. Passamos uma tarde inteira carregando essas pesadas sacolas de *pennies* ingleses.

O sonho parecia ter sido enviado para me assegurar da continuidade da existência de minha amiga após a morte do corpo. O mais impressionante era o fato de o sonho ter vindo por meio de uma terceira pessoa que não sabia o significado dos *pennies*, o motivo central do sonho. É verdade que um cético apresentaria a hipótese de que a sonhadora soubera inconscientemente dos *pennies* por meio da telepatia ou da clarividência, assim como formulara inconscientemente o sonho em meu benefício. Prefiro acreditar que minha amiga enviara uma mensagem a respeito de sua sobrevivência à morte, e fizera isso por meio de uma terceira pessoa, de modo que eu não a considerasse simplesmente uma parte subjetiva de minha própria lembrança dela.

ALÉM DA MORTE

Não sabemos se há alguma coisa além da morte. Talvez o corpo simplesmente volte aos seus elementos componentes e a personalidade deixe de existir. Mas a crença imemorial da humanidade é de que alguma parte da personalidade humana sobrevive de fato à morte física.

Os registros de alguns dos mais antigos funerais humanos mostram que a pessoa falecida era colocada no túmulo na posição fetal, como se esperasse o renascimento. Nos últimos anos, a investigação científica dos primeiros sítios funerários demonstrou que a quantidade de pólen contida nos resíduos dos primeiros túmulos é maior do que na área circundante. Isso sugere que, mesmo nos tempos pré-históricos, o ser humano muitas vezes era enterrado com flores, o que talvez indique um funeral cerimonial e a esperança de que a morte não seja o fim.

Em 1882, a Sociedade de Pesquisas Psíquicas (Society for Psychical Research – SPR) foi formada na Universidade Cambridge da Inglaterra. Seu propósito era investigar, com os métodos da ciência, as habilidades do ser humano que haviam sido afirmadas pelas tradições religiosas – habilidades como telepatia, clarividência e a possibilidade de sobreviver à morte física. Uma das primeiras publicações de F. W. H. Myers, um dos fundadores da SPR, chamava-se *Human Personality and Its Survival of Bodily Death* [A Personalidade Humana e sua Sobrevivência à Morte do Corpo].[82] A SPR continua, junto com sua contraparte americana mais jovem, a ASPR, a investigar essas questões. Apesar do amplo progresso da pesquisa parapsicológica, a questão da sobrevivência humana à morte tornou-se mais complicada. As evidências de que o ser humano vivo é capaz de desenvolver a telepatia e a clarividência tornam mais difícil a avaliação científica de mensagens que parecem vir de pessoas falecidas – na terminologia utilizada nos dias de hoje, vindas de "agentes pessoais incorpóreos".

Uma das ironias da vida moderna consiste no fato de a mais antiga questão da humanidade, o significado da vida e a possível continuidade da existência além-túmulo, merecer tão pouca investigação científica, tendo em vista que as implicações desse estudo são imensas. Saber, com alguma certeza, que alguma parte da personalidade humana persiste após a morte poderia revolucionar a civilização.

Evidências oníricas

Antes da morte de sua mãe, Jung teve um sonho que não entendeu na época.[83] No sonho, seu pai, há muito falecido, perguntou-lhe a respeito dos métodos mais modernos de terapia de casais, e Jung lhe contou. Somente depois da morte de sua mãe, pouco depois do sonho, Jung percebeu que o sonho poderia ter sido uma representação da personalidade sobrevivente do seu pai, tentando preparar-se para reunir-se com a esposa.

Jung estava viajando quando lhe deram a notícia da morte da mãe. Naquela noite, ele sonhou com um grande e terrível lobo percorrendo a floresta em busca de um espírito humano – uma sensação do terror e da brutalidade da morte.[84] No dia seguinte, quando retornou a Zurique para o funeral da mãe, Jung percebeu que, no fundo de sua mente, ouvia música de casamento. Para ele, essa música representava outro sentido da morte – como se ela fosse uma reunião e uma junção, um momento feliz como um casamento. E assim Jung registrou suas experiências com os dois sentidos contrastantes da morte.

Pouco antes de morrer, em 1975, meu pai contou a minha irmã o único sonho que a família se recorda de vê-lo contar a qualquer um de nós. Ele lhe disse ter sonhado que ia visitar certo casal de tios com o qual havia vivido durante um ano quando terminara o colégio. Esse período havia sido um ponto decisivo em seus primeiros anos, quando ele pôde formar-se e preparar-se para a vida. Não sabíamos, à época do sonho, que ele estava doente, assim como ele também não sabia, mas o sonho parecia estar preparando-o para a morte com uma imagem que ele podia entender – a imagem de um local seguro para onde se pode ir quando se deixa a casa. Em suas associações, o sonho também teria simbolizado um local para onde se decide ir a fim de iniciar uma nova fase de vida.

Pouco depois da morte de meu pai, minha irmã e eu sonhamos com ele. Sonhei que estava sentado na sala de jantar da casa em que havia crescido, trabalhando com documentos ligados ao patrimônio do meu pai, quando ele entrou na sala carregando sua mala de viagem, que reconheci, como se estivesse voltando de uma viagem. Ele me cumprimentou afetuosamente e depois seguiu em busca da minha mãe e irmã para dizer alô. Minha irmã sonhou que ele estava sentado numa grande mesa redonda, com algumas pessoas que ela não conhecia, divertindo-se. Ela o acariciou e atravessou a sala.

Esses sonhos, que nada têm em comum; não são, na verdade, uma prova de que haja vida após a morte; com efeito, pode-se alegar que eles são "enviados" pelo Si-mesmo para dar conforto aos que ainda vivem. A morte é o passo final da individuação, tal como é conhecida pelas personalidades humanas vivas, mas talvez aquela estrutura psíquica a que damos o nome de Si-mesmo seja dotada de uma perspectiva mais abrangente e de maior alcance.

Capítulo 9

ALÉM DA ANÁLISE: IMPLICAÇÕES RELIGIOSAS E CIENTÍFICAS DA TEORIA JUNGUIANA

JUNG E FREUD

Jung e Freud foram mais que psiquiatras preocupados com o tratamento da mente perturbada. Em última análise, eles estavam preocupados com a natureza da realidade e com o lugar que o homem ocupa no universo. Os dois acreditavam, tacitamente, que a compreensão das camadas profundas da mente revelaria, ao mesmo tempo, verdades a respeito da natureza da própria realidade. No entanto, as respostas intuitivas que ofereceram a respeito da natureza do inconsciente foram amplamente diferentes entre si.

Freud terminou por chegar a uma teoria dual do instinto – o instinto da vida opondo-se ao instinto da morte, Eros contra Tânatos. No final das contas, a teoria freudiana é pessimista: as forças da vida e do prazer só podem evitar, por um breve período, o triunfo inexorável do instinto de morte. Toda vida orgânica retorna aos elementos inorgânicos. Para Freud, a vida não passa de uma tragédia, uma breve dança epifenomenal acima do abismo da morte. O tom materialista da teoria freudiana reflete o cientificismo europeu do século XIX e não a ciência tal como existe hoje. Essa era a fé de Freud e ele a viveu, e morreu nela, com bravura indômita, sempre defendendo a verdade tal como a via, ao mesmo tempo que sofria com coragem sua doença dolorosa e seu declínio final.

Na camada mais profunda da mente, Freud havia visto apenas a pressão dos instintos por descarga, as pressões que o corpo impõe à mente. Freud denominou esse aspecto da mente de *id,* ou "isso". O ego, ou mente consciente, e o superego, ou consciência – os demais componentes da mente na teoria freudiana –, trazem consigo um sentido de estrutura e de conteúdo.[85] O *id* traz mais um sentido de pressão, funcionando como uma bomba hidráulica que apenas impulsiona as partes mais conscientes da mente a alcançarem descarga, sem compreender ou conhecer as complexidades e exigências do mundo social consciente.

Por um breve tempo, quando fazia residência em psiquiatria, fiquei muito preocupado com o *id*, já que ele não parecia conter os mesmos elementos estruturais do ego e do superego, com os quais, na qualidade de conceito estrutural, está em paralelo. Durante vários dias, perguntei a todos os professores a respeito da estrutura do *id*, tendo terminado com o mesmo conhecimento com que comecei.

Com efeito, o *id* tem efetivamente uma estrutura teórica e é mais ou menos análogo ao conceito estrutural junguiano de sombra. Mas a teoria junguiana propõe muitas camadas da mente além da sombra. De modo particular, aquilo que distingue basicamente a teoria junguiana do modelo freudiano da psique é o conceito de inconsciente coletivo, que Jung mais tarde chamou de psique objetiva.

A PSIQUE JUNGUIANA

O modelo junguiano da psique atribui um significado criativo, essencialmente positivo, à camada mais profunda da mente inconsciente. Trata-se da psique objetiva, que, à maneira que lhe é própria, é tão real quanto o mundo físico exterior. De fato, suas predisposições arquetípicas estruturam não apenas o mundo subjetivo interior, mas também, em larga medida, nossa percepção do mundo exterior. Enquanto os "conteúdos" do inconsciente pessoal são complexos (normais e, às vezes, patológicos), os "conteúdos" da psique objetiva são os arquétipos, coordenados pelo arquétipo central da ordem, o Si-mesmo. A psique objetiva é a matriz da consciência humana. A ordenação é intrínseca à psique objetiva, mas trata-se de uma ordem dinâmica e em desenvolvimento, e não de uma estrutura estática e imutável. Nessa ordem dinâmica reside a gênese do processo de individuação, a atividade básica de incorporar, numa vida humana, as potencialidades do Si-mesmo ímpar do indivíduo.

Embora sua visão seja basicamente positiva, de modo algum Jung é um simples otimista. A vida humana é real e contém sucessos reais e fracassos igualmente reais. Mesmo a vida da humanidade no planeta Terra pode ter sucesso ou fracassar. Mas não há uma tragédia intrínseca no modelo junguiano da estrutura da psique. Não há um triunfo inevitável de algum "instinto de morte". Embora a morte seja inegável, as camadas mais profundas da psique, como foi dito no capítulo anterior, agem como se a morte não fosse um evento crucial. Pode ser que, assim como a vida mostra uma crescente desordem entrópica no plano físico, ela também exiba uma crescente complexidade de padrões no nível do sentido e da compreensão. Estamos na época das trevas no que se refere à compreensão de nós mesmos ou do universo que habitamos. No entanto, falta de conhecimento não equivale a desespero. Há implicações religiosas e científicas da experiência junguiana que nos dão motivos para ter esperança.

IMPLICAÇÕES RELIGIOSAS

Freud intitulou seu trabalho sobre a religião de *O Futuro de uma Ilusão*. Isso indica sua atitude básica com relação à religião, embora alguns autores, incluindo David Bakan, tenham sugerido que Freud era mais influenciado inconscientemente pelas suas tradições religiosas do que percebia.[86]

A visão junguiana da religião estava, mais uma vez, em contraste direto com o pessimismo teórico de Freud com relação à oposição entre Eros e Tânatos. Jung afirmou que nunca havia tratado uma pessoa na segunda metade da vida que não tivesse um problema religioso. Por "problema religioso" Jung não designava dificuldades com questões doutrinais ou com a Igreja como instituição, mas sim um problema de sentido, de entender o propósito da vida e de encontrar uma razão para viver.

O próprio pai de Jung era pastor da Igreja Suíça Reformada, e Jung descreve, de maneira tocante, o fim essencialmente estéril da vida religiosa de seu pai.[87] O garoto Jung ouvia com atenção as explicações paternas sobre conceitos religiosos. Porém, quando chegou a hora de tratar do misterioso conceito da Trindade, que Jung esperava ansiosamente, seu desapontamento foi profundo e trágico. Seu pai fugiu do assunto, explicando que, na realidade, não o entendia. Num sentido real, Jung passou toda a vida mergulhando nas questões que seu pai evitara, incluindo-se aí a Ressurreição,[88] o Espírito Santo,[89] Elias como imagem arquetípica,[90] o Gnosticismo,[91] a Trindade[92] e os símbolos de transformação na Missa.[93] Na verdade, Jung acreditava que há um instinto religioso intrínseco na psique que tem pelo menos tanta importância quanto os outros instintos dominantes (criatividade, fome, agressão e sexualidade).[94]

Jung encontrou imagens religiosas no material de individuação de seus pacientes.[95] Cristo, por exemplo, pode aparecer como imagem do Si-mesmo arquetípico,[96] um tema que Edward

F. Edinger desenvolveu.[97] Uma das afirmações mais importantes e controversas de Jung a respeito da religião foi seu ensaio "Resposta a Jó",[98] que escreveu por estar preocupado com a situação do mundo moderno.[99] Nesse ensaio, Jung descobre um novo sentido na história de Jó – o de que Jó tornou-se consciente de uma divisão não resolvida na imagem de Deus, que requer que Deus encarne no homem que criou para compreender a sua própria natureza. Edinger considerou este o principal mito do mundo atual: o homem, agora, deve ajudar a carregar o peso previamente colocado sobre a imagem de Deus.[100] Como mencionamos anteriormente, ele identifica Jung como o primeiro exemplar dessa nova era.

As implicações da teoria junguiana para a religião são revolucionárias e talvez por essa razão tenham sido ignoradas, ao passo que Freud, que reduziu a religião a uma "ilusão", foi facilmente estudado no discurso teológico. Os teólogos mal começam a lidar com Jung, mas nenhum deles enfrentou, até agora, as radicais implicações de sua posição. Certa discussão teológica de Jung tende a concentrar-se apenas no relacionamento inconsciente entre Freud e Jung, sem apreender as perguntas verdadeiramente desafiadoras que Jung faz à religião.[101]

A psique produz imagens de Deus. Essas imagens podem ser vistas em sonhos e não se limitam a imagens religiosas que o sonhador conheça conscientemente na vida desperta.[102] Essa referência essencialmente misteriosa à imagem de Deus – concebida em termos ortodoxos e não ortodoxos – que o material onírico apresenta, pode apontar para as camadas profundas da psique como fonte da produção de imagens religiosas. Há muitos relatos sem comprovação científica de sonhos desse tipo e não é difícil reuni-los, pois são sonhos que ocorrem com alguma frequência. Mas eles não são examinados como evidência da origem de imagens religiosas na psique humana. A religião ortodoxa evita abordagens desse tipo, o que ameaçaria a primazia da religião revelada e sua codificação em dogma. Igualmente, os cientistas evitam essas considerações, pois o quadro da ciência, em geral materialista (o que talvez tenha sido necessário para libertá-la da dogmática religiosa antes da Renascença), sequer permite que as questões religiosas sejam colocadas de modo significativo.

Jung tem sido considerado um místico. A partir dos sonhos da infância que Jung discute em sua autobiografia, vi até mesmo um psiquiatra que deveria saber mais chamá-lo de esquizofrênico infantil. Mas Jung considerava-se um cientista empírico e insistiu repetidas vezes que, quando falava de Deus, não fazia afirmações metafísicas, referindo-se antes a uma imagem presente na psique, imagem que constitui um objeto de estudo tão legítimo quanto qualquer outra coisa da mente. No entanto, o que Jung não disse foi que, como é evidente, todas as afirmações sobre Deus, "revelado" ou não, devem ser afirmações feitas por algum ser humano dotado de uma psique humana. E Jung entendia muito da psique humana.

O desenvolvimento de uma tradição religiosa depende da experiência religiosa pessoal de algum indivíduo capaz de descrever a experiência de tal modo que leve outras pessoas a tomarem sua visão como reflexo verdadeiro de uma realidade não vista. Uma imagem arquetípica que se manifesta na vida de um indivíduo, se suficientemente integrada e apresentada a outros indivíduos, acumula em torno de si a prática religiosa de pessoas na consciência coletiva. A experiência arquetípica adquire um "corpo" de imagens e dogmas e é incluída numa tradição religiosa. Isso preserva a experiência arquetípica e, ao mesmo tempo, coloca-a contra toda futura incorporação nova, e talvez mais profunda, do arquétipo em causa ou de outros arquétipos.

IMPLICAÇÕES CIENTÍFICAS

Como já mencionei, Jung considerava-se um empirista. Embora trabalhasse com o tênue material da mente, evitado pela maioria dos cientistas, ele abordava a psique com a mesma objetividade de todo cientista empírico. Somente em seu livro autobiográfico, *Memórias, Sonhos, Reflexões,* Jung falou diretamente como pessoa, sem preocupar-se com o estatuto científico de sua apresentação. Ele só escreveu essa obra autobiográfica quando foi pressionado a fazê-lo pelos seus próprios sonhos. Ninguém além dele mesmo poderia tê-lo induzido a revelar seus pensamentos tão candidamente. Trata-se, portanto, de um dos mais valiosos documentos que ele produziu. Ao lê-lo, percebe-se a busca pessoal de Jung e tem-se a possibilidade de verificar diretamente o modo objetivo e científico por meio do qual ele tentou abordar as mais misteriosas experiências de sua vida.

O trabalho original de Jung com a experiência de associação de palavras foi apresentado, num formato aceitável de investigação científica, nessa mesma época.[103] Adicionando medidas elétricas da resistência da pele ao caráter essencialmente psicológico da experiência, Jung introduziu uma nova abordagem de medicina psicossomática. Essas medidas também foram o início do teste do polígrafo (detector de mentira). Jung foi inovador ao tentar aplicar essas técnicas às investigações legais.

Mesmo em seus profundos interesses religiosos, Jung era um cientista empírico. Ele considerava a teologia uma tentativa de descrever uma realidade transcendente que também poderia estar aberta à investigação científica,[104] talvez a mesma realidade que pode ser vista nas produções oníricas e imaginativas que refletem a psique objetiva. Nessa posição, Jung se enquadra claramente na tradição dos fundadores da Sociedade de Pesquisas Psíquicas (SPR). Na verdade, Jung manteve correspondência com J. B. Rhine, o pai da parapsicologia, na esperança de que as experiências de laboratório de Rhine, voltadas para a demonstração da percepção extrassensorial, pudessem fornecer evidências científicas para realidades da psique que Jung observara em seu consultório. Grande parte dessa correspondência foi incluída nas cartas publicadas de Jung.

Após muitas pesquisas, tanto antes como depois da morte de Rhine, consegui localizar no arquivo de correspondência deste último as cartas de Jung, que haviam sido misturadas com os documentos de Louisa Rhine, que hoje se encontram nos arquivos da Duke University. Há alguns intercâmbios interessantes entre Jung e Rhine que mostram a forte ênfase deste último em experiências demonstráveis e a preocupação igualmente forte de Jung a respeito das implicações do trabalho experimental para a natureza da psique. Enquanto Rhine se preocupa com o estabelecimento dos fatos experimentais, Jung se adianta para compreender o sentido desses fatos num quadro mais amplo. Os dois homens parecem profundamente comprometidos com a ciência, ao mesmo tempo que se mostram bastante convencidos de que a ciência pode ser usada para revelar sentidos tradicionalmente veiculados pela crença religiosa. Em larga medida, foi graças a Rhine que Jung publicou um resumo de seus pensamentos sobre a parapsicologia.[105]

O próprio Jung tentou uma verificação experimental do princípio da sincronicidade que se aproxima bastante do sentido dos fenômenos *Psi* ou ESP (PES).[106] Os resultados experimentais foram incertos e não puderam ser repetidos numa segunda experiência, mas está claro que Jung considera o método experimental capaz de gerar importantes resultados, mesmo com os fenômenos incomuns da sincronicidade. Quando foi acusado por Martin Buber de gnóstico, Jung definiu-se claramente como um psiquiatra interessado em evidências empíricas em benefício da cura.[107]

Embora mostrasse um contínuo interesse pelas religiões do Oriente, Jung preocupava-se profundamente com a tradição religiosa do Ocidente e advertiu muitas vezes que o homem ocidental não deveria abandonar seus próprios fundamentos empíricos. Essa posição reflete novamente o caráter essencial de Jung como cientista ocidental. No Ocidente, a alquimia deu origem à ciência e, ao mesmo tempo, preservou secretamente uma disciplina esotérica voltada para o autoconhecimento, protegendo-a das repetidas tentativas coletivas de imposição da uniformidade de crença. A ciência exotérica exterior que se desenvolveu a partir da alquimia é, na realidade, a química, uma das ciências modernas básicas. Ainda nos preocupamos com a ciência esotérica da alquimia, que uma série de sonhos levou Jung a reconhecer como a precursora da psicologia profunda.[108]

A obra de Jung contribui sobremaneira para corrigir essa separação ainda existente entre ciência e religião. Não obstante, mantendo firmemente sua crença na investigação empírica de um universo significativo, Jung não hesitou em fazer as perguntas mais problemáticas e difíceis a respeito das origens e do sentido da crença religiosa. Seu conceito do arquétipo, a tendência inata básica da psique de formar padrões a partir da experiência, apresenta-se relevante, tanto para a fenomenologia da religião como para a estruturação de conceitos científicos.

Em suas últimas concepções teóricas, Jung considerou o arquétipo psicoide, termo com o qual pretendia enfatizar o fato de que, dentro dos limites da nossa capacidade de observação, é impossível determinar se o arquétipo é pura psique ou se também está envolvido na estrutura da matéria.[109] "Psicoide" indica que o arquétipo pode ser um princípio subjacente à psique e ao mundo. Evidências da natureza psicoide do arquétipo podem ser encontradas nos fenômenos PES e nos fenômenos da sincronicidade. O desenvolvimento de percepções criativas na matemática também sugere uma profunda conexão entre padrões mentais e padrões do universo físico, tendo em vista que algumas teorias matemáticas novas, desenvolvidas totalmente na psique, encontram, não obstante, o aval das experiências científicas, que demonstram serem essas teorias representações precisas da estrutura do universo revelada pelas experiências.[110]

Se a natureza do arquétipo é, de fato, psicoide, vivemos, na realidade, em um universo bem misterioso! – um universo muito diferente, em sua profundidade, do mundo da consciência, em que a subjetividade se afigura tão radicalmente separada do mundo físico que está fora de nós. Isso também significaria que, ao questionar as camadas profundas da psique, aproximamo-nos, simultaneamente, de uma compreensão do mundo físico.

A profunda compreensão da psique por parte de Jung resultou naquilo que é, a meu ver, o modelo mais promissor até agora desenvolvido para preencher a trágica lacuna entre ciência e religião. A humanidade não pode suportar por muito tempo, nem alegremente, a atual separação entre os nossos dois modos de conceber o universo. O primeiro deles, a ciência, encontra-se aprisionada num arcabouço desnecessariamente materialista, ao passo que a religião, o outro grande repositório dos nossos valores e esperanças mais elevados, é, com demasiada frequência, desnecessariamente dogmática ou (o que é pior e ainda mais perigoso) apresentada sob o aspecto de "ismos" seculares que trazem consigo um fervor religioso inconsciente. Trata-se de um mundo, de um universo, e os valores humanos não lhes são impostos de fora, mas surgem das próprias camadas profundas da psique objetiva, que é tão real quanto o mundo da realidade exterior. Esses dois planos são, com efeito, um único e mesmo plano.

Devemos descobrir nossa maneira de chegar a uma compreensão mais precisa dessa unidade antes que a radical separação entre a ciência e os valores escreva um trágico capítulo na longa emergência da civilização e da cultura humanas. Jung talvez seja o nosso guia mais confiável nessa urgente procura.

CONSIDERAÇÕES FINAIS

Este livro serviu de introdução ao vasto universo da experiência junguiana. O leitor deve ter formado uma impressão a respeito do verdadeiro processo da análise junguiana, assim como deve ter obtido um princípio de compreensão a respeito da natureza da psique e, dessa maneira, encontra-se mais capacitado a julgar se uma análise pessoal junguiana apresenta possibilidades de fazer avançar sua própria individuação.

Além disso, tentei indicar que a experiência junguiana é mais profunda que a análise pessoal, já que a análise, quando bem-sucedida, está a serviço da individuação, o processo de permanente exploração do sentido e do destino da vida de cada um de nós. A experiência junguiana talvez possa ser ainda mais profunda que o processo de individuação, a tarefa básica da vida do ser humano individual. Jung se aprofundou sobremaneira na psique individual, do mesmo modo como se aprofundou no misterioso mundo da psique objetiva – que pode vir a ser a origem tanto de nós mesmos quanto do mundo em que vivemos. As correntes dessa psique objetiva podem prever eventos de massa do mundo, como o demonstra o fato de Jung ter encontrado premonições sobre a Primeira Guerra Mundial nos sonhos de seus pacientes. A investigação dessa fronteira mal começou.

O pensamento junguiano é uma ponte eficaz entre a compreensão do indivíduo e a articulação das preocupações mais amplas concernentes ao destino e à história psíquica da humanidade, assim como entre a investigação científica de cunho empírico e o surgimento espontâneo de imagens religiosas na psique. Esse pensamento é uma força de cura do mundo, tanto quanto é uma abordagem terapêutica da neurose do indivíduo.

Desejo concluir este livro da maneira como o iniciei, dando um testemunho pessoal. Considero válida a concepção junguiana clássica da psique. Essa crença tem como fundamento minha própria experiência de análise, algo a que sou eternamente grato, assim como nas observações que me permitiram compartilhar dos processos interiores de tantos analisandos que vieram a mim.

A análise junguiana é um Caminho, no sentido grandioso dos caminhos religiosos tradicionais (apesar de não ser, ela mesma, uma religião). Trata-se, igualmente, de um instrumento de pesquisa que produz visões da psique em sua profundidade que não podem ser obtidas de nenhum outro modo. Jung deu uma grande contribuição ao nosso mundo. Sinto-me honrado por participar no processo de avanço daquilo que ele iniciou.

Apêndice 1

ELEMENTOS ESTRUTURAIS DA PERSONALIDADE

Esta seção visa fornecer um auxílio à compreensão do modelo junguiano clássico da psique e da linguagem técnica utilizada para descrevê-lo.

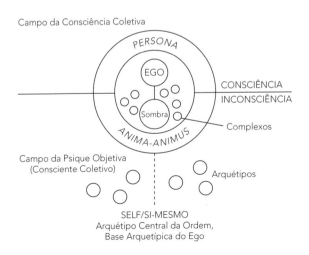

Na figura da página anterior, a linha horizontal representa a divisão entre consciência (acima da linha) e inconsciência (abaixo da linha). O círculo exterior define a esfera pessoal, dentro da qual estão os elementos pessoais da psique, tanto conscientes como inconscientes. Do mesmo modo, a área que se encontra fora dos dois círculos e acima da linha horizontal indica conteúdos presentes na consciência coletiva, assim como a área abaixo da linha e fora dos círculos representa os conteúdos presentes na psique objetiva (inconsciente coletivo).

No centro do campo da consciência encontra-se o complexo do ego. Embora seja considerado um "complexo", o ego é um complexo ímpar. Ele tem como fundamento o arquétipo do Si--mesmo, o arquétipo central da ordem, e é, num certo sentido, o representante do Si-mesmo arquetípico no campo da consciência. Outros complexos que se tornam "ligados" ao complexo do ego também compartilham, de certo modo, da consciência. Quanto mais dissociados do complexo do ego, tanto menos esses complexos são capazes de penetrar, de modo direto e fácil, no campo da consciência.

Quando dizemos "Eu", falamos do complexo do ego. Ao falarmos "Eu", também nos identificamos com certas estruturas que se encontram associadas com o ego, incluindo a imagem do corpo e o sentimento comum da estrutura do caráter (tal como se manifesta, por exemplo, em: "Sou uma pessoa confiável"). Também convivemos com outros complexos associados à linguagem, à gramática, à sintaxe, às formas sociais (*persona*) etc. Boa parte da dificuldade de compreensão da psicopatologia, assim como dos fenômenos incomuns como os estados místicos, decorre da ambiguidade existente entre o complexo do ego e o "Eu". A minha ideia é a de que "Eu" se refere, na realidade, ao núcleo arquetípico do ego, o Si-mesmo, que, em sua forma pura, é um centro de subjetividade sem conteúdo necessário. Todavia, numa forma observável o complexo do ego sempre está identificado com um ou mais complexos, que constituem imagens de si mesmo que, no estado psicologicamente ingênuo, uma pessoa toma como sua verdadeira identidade.

A verdadeira identidade do complexo do ego é o Si-mesmo. E a identidade do Si-mesmo é misteriosa. O Si-mesmo não se encontra completamente desvinculado, mas está menos aprisionado às categorias de tempo, espaço e identidade do que o ego ingênuo. O Si-mesmo existe num nível em que as conexões sincronísticas são facilmente possíveis; mas, para o complexo do ego, essas conexões sempre são impressionantes e significativas intrusões de outro nível de ordem.

Em termos do modelo junguiano, o Si-mesmo encontra-se voltado para o processo de individuação, tanto de "si-mesmo" como das situações das quais participa – em última análise, com a individuação do universo como um. O ego ingênuo, em contrapartida, costuma deixar-se aprisionar pela defesa das imagens que faz de si mesmo, imagens essas que, do ponto de vista do Si-mesmo, não têm mais importância do que os vários papéis da *persona* têm para o ego – isto é, para o Si-mesmo, essas imagens são importantes para determinados propósitos, mas em última análise são dispensáveis.

O Si-mesmo arquetípico é, em termos conceituais, o centro de toda a psique, embora seja representado, no diagrama, como a estrutura central da psique objetiva, do inconsciente coletivo. Ele existe como:

1) Um centro virtual da psique – quando percebido pelo ego ou descrito em termos teóricos.
2) Como o padrão arquetípico do complexo do ego.
3) Como uma maneira de fazer referência à psique inteira como um todo unificado.

A fronteira entre o complexo do ego e o mundo exterior da consciência coletiva é indicada pela *persona,* termo usado para designar as máscaras usadas no teatro grego clássico para ampliar a personagem representada (algumas máscaras, na verdade, tinham megafones embutidos para ampliar a voz do ator) e para ocultar a qualidade pessoal do ator que, de outro modo, poderia interferir com o desempenho do seu papel. Em seu uso psicológico, *persona* refere-se aos papéis que desempenhamos em nossas relações com as outras pessoas. A *persona* se refere mais ou menos à mesma coisa a que se refere a teoria dos papéis no campo da sociologia, embora aponte para a forma real do papel que uma dada pessoa pode desempenhar, e não às generalizações da discussão sociológica.

Na realidade, a *persona* é múltipla, já que cada pessoa desempenha vários papéis: pai, médico, filho, amigo, amiga, namorado etc. Numa pessoa saudável, os papéis são mais ou menos compatíveis entre si, embora haja alguma dissonância entre eles. Uma personagem humorística-padrão é o magnata do mundo dos negócios dominado pela mulher. Em "Amos and Andy", um programa de rádio que já não existe, e que é lembrado por muitas pessoas com um afetuoso prazer, isso era expresso numa frase particularmente memorável: "O Grande, Importante, Exaltado, Onipotente Chefe da Casa apanhou da mulher!".

Se for adequada ao indivíduo, a *persona* facilita a maioria das transações impessoais que compõem a vida diária. Sem uma *persona* razoavelmente bem-desenvolvida, a pessoa fica "a descoberto" e o ego se sente ameaçado mesmo nas transações sociais mais comuns. Uma *persona* muito "espessa" oculta mais do que aperfeiçoa a eficácia do ego no mundo. Uma situação particularmente comum e, com frequência, de trágico efeito, é a *identificação com a persona*, na qual o ego acredita erroneamente que não é senão o papel representado pela *persona*. As coisas que ameaçam a *persona* parecem, nesse caso, ameaçar a própria integridade do ego. Há também, em alguém que vislumbrou além da *persona*, mas na direção da retaguarda, uma condição defensiva chamada *restauração regressiva da persona—* que consiste na fixação de um papel aparentemente seguro, embora abaixo do próprio potencial da pessoa, em lugar de enfrentar as incertezas que a individuação envolve.

A *persona*, assim como todos os conteúdos da esfera pessoal, é composta por complexos. É importante lembrar que o uso dado aos complexos, e não a sua existência, é o fator que pode causar dificuldades. O mesmo complexo, em diferentes momentos e sob diferentes circunstâncias, pode manifestar-se por meio da *persona*, do ego ou da sombra. O complexo pode até mesmo ser projetado em outra pessoa com relação à qual sentimos, em consequência, todas as emoções associadas ao complexo.

Assim como a *persona* é a via de ligação entre o ego e o mundo exterior, a via de ligação entre o ego e o mundo interior é a *anima* (a figura feminina da mente de um homem) ou o *animus* (a figura masculina correspondente da mente de uma mulher). Esses conceitos são empíricos, tendo sido derivados, amplamente, das observações de sonhos materiais das fantasias feitas por Jung. Em sua forma saudável, eles ampliam a esfera pessoal do ego por meio do fascínio, com imagens interiores ou com alguma tarefa exterior, assim como por meio do envolvimento com uma pessoa do sexo oposto. Em suas formas negativas ou neuróticas, a *anima* e o *animus* funcionam como guardiões do presumido "verdadeiro Eu"– que é, na verdade, uma falsa identidade do ego neuroticamente determinada. Quanto mais fortes e sutis as defesas, tanto mais difícil para o ego a percepção do modo como ele cria uma barreira entre si mesmo e o mundo.

Quando reconhecemos esses elementos estruturais da psique no interior de nós mesmos, é importante que não os definamos de modo demasiado rígido. Podemos ter, com muita facilidade, um conceito ou pensamento a respeito de nós mesmos, em substituição à experiência real de autotransformação com relação ao inconsciente. O ego pareceria o elemento mais fácil de reconhecer, já que traz consigo a assinatura do "Eu". Mas tudo que estabeleça um vínculo com a consciência pode falar por meio de um "Eu" – e sentir-se, pelo menos momentaneamente, como o verdadeiro ego.

A atenção para com as mudanças de tom e de conteúdo daquilo que se diz ou que se pensa é o principal guia para a identificação das partes da própria personalidade. A experiência da *persona* costuma ser consciente e traz consigo uma qualidade "opcional": podemos decidir exibir um comportamento considerado apropriado numa dada situação – isto é, podemos expressar-nos por meio de um papel da *persona*. Se não se revestir de um caráter patológico, a *persona* se assemelha a uma muda de roupa, podendo ser utilizada ou retirada conforme a ocasião. A sombra provoca ansiedade caso se torne muito consciente ou muito evidente aos olhos dos outros, mesmo que o ego seja subjetivamente consciente dela. Nesses casos, o ego sente-se inferior, como se a pessoa estivesse entrando num estado menos integrado (embora também seja possível haver fascínio).

Normalmente, a sombra pode ser percebida numa pessoa do mesmo sexo da qual, de algum modo, e talvez de modo irracional, não gostamos. Isso é diferente de não gostar de uma pessoa por causa de qualidades desagradáveis reais – nesse caso, apenas não gostamos da pessoa, mas isso não nos causa perturbação. A pessoa na qual é projetada a sombra irrita quem projeta, parecendo mais importante para aquele que projeta do que realmente é. Em alguns casos, essa qualidade da sombra se confunde com a *anima* ou com o *animus*, o que leva a pessoa afetada por isso a ter dificuldades na discriminação desses elementos.

Sob forma projetada, a *anima* ou o *animus* costuma recair sobre uma pessoa do sexo oposto, apesar de haver exceções, particularmente se a identidade sexual do ego estiver confusa. Na maioria dos casos, a projeção é positiva, pelo menos no início. Com um olho treinado, por vezes é possível ver parte do objeto da projeção. A projeção pode representar um padrão neurótico que se repete, do mesmo modo como pode ver qualidades positivas na outra pessoa quase totalmente inconscientes na pessoa que faz a projeção. Não é incomum, num relacionamento em desenvolvimento, que uma projeção positiva seja mútua, mas isso costuma ser seguido por uma forma negativa defensiva quando o relacionamento real contínuo é tentado, particularmente se um dos parceiros, ou os dois, apresenta severos conflitos neuróticos. De modo geral, quando outra pessoa não "corresponde" às nossas expectativas, podemos estar bem certos de que um complexo nosso foi projetado nessa pessoa.

Esses são os aspectos estruturais da esfera pessoal mais acessíveis à introspecção e à intuição. Às vezes, eles são exibidos com riqueza de detalhes nos sonhos, e mesmo as relações que mantêm entre si podem ser vistas em alguns sonhos. Basta lembrar que todos os complexos têm um núcleo arquetípico, de modo que, na experiência desses componentes estruturais, assim como de outros complexos, também temos uma experiência dos arquétipos. A maioria dos significados arquetípicos é mediada pela esfera pessoal, adquirindo um colorido graças a essas estruturas. É muito raro que uma experiência arquetípica ocorra com tanta força que traga à esfera pessoal uma sensação da numinosidade, do fascínio e do poder do arquétipo.

Algumas drogas produzem experiências razoavelmente brutas de temas arquetípicos, seja porque a estrutura normal do ego é quimicamente afetada pela droga, ou porque o nível normal de consciência é rebaixado. Eventos que produzem grande tensão, tal como o nascimento de um filho ou a morte de uma pessoa próxima, podem evocar uma sensação do significado arquetípico demonstrado pela aparência mundana comum da vida. Algumas experiências religiosas e de meditação trazem consigo uma numinosidade arquetípica. Em épocas de crise coletiva, as pessoas parecem exibir maior disposição para vivenciar eventos de tom arquetípico.

O estudo deliberado de materiais "arquetípicos", tal como o estudo acadêmico do simbolismo, a divisão de experiências em várias categorias nomeadas segundo diferentes "deuses" etc., é um pálido substituto de uma genuína experiência arquetípica produzida nas camadas profundas da psique de cada um de nós. Ninguém que tenha vivenciado a verdadeira numinosidade de um evento arquetípico poderá confundi-la com o *fac-símile* conscientemente cultivado. Uma compreensão integrada do domínio arquetípico, impessoal, só é adquirida mediante reflexão prolongada a respeito da experiência pessoal que cada um de nós tem com os complexos.

Apêndice 2

SUGESTÕES DE LEITURA

A melhor fonte do pensamento junguiano é, com efeito, os próprios escritos de Jung, a maioria dos quais foi publicada nas *CollectedWorks* (CW), *Obras Completas* de C. G. Jung. Atualmente, diversos volumes individuais encontram-se publicados em brochura. Uma relação completa dos tópicos tratados nas *Obras Completas* é publicada no final de cada volume (na edição em inglês). Os volumes XIX e XX são, respectivamente, bibliografia geral e índice geral.

Um bom ponto de partida são os *Two Essays on Analytical Psychology* (*Estudos sobre Psicologia Analítica* – Vol. VII), uma excelente apresentação teórica das concepções de Jung, incluindo materiais sobre tipologia e sobre o par *anima/animus*. Do mesmo modo, a seção de

"Definições" de *Psychological Types* (*Tipos Psicológicos* – CW 6) dá explicações claras e concisas a respeito dos principais termos usados no discurso junguiano.

Embora excluída das *Obras Completas* a pedido de Jung, sua obra autobiográfica, *Memories, Dreams, Reflections* (*Memórias, Sonhos, Reflexões*), Nova York, Pantheon Books, 1963, é, sob vários aspectos, o mais interessante material escrito por ele, revelando sua própria busca pelo sentido da vida e do trabalho que realizou.

Joseph Campbell apresenta uma boa seleção cronológica dos escritos de Jung em *The Portable Jung* (Nova York, Viking Press, 1971). Uma introdução clássica e valiosa à obra de Jung, organizada por tópicos, é *Complex/Archetype/Symbol* (*Complexo, Arquétipo, Símbolo*), Princeton: Princeton University Press, 1959, de Jolande Jacobi. William McGuire e R. F. C. Hull organizaram *C. G. Jung Speaking* (*C. G. Jung: Entrevistas e Encontros*), Princeton: Princeton University Press, 1977, uma reunião de entrevistas e encontros com Jung.

As biografias mais autorizadas de Jung são de autoria de Marie-Louise von Franz. *C. G. Jung: His Myth in Our Time* (*C. G. Jung: Seu Mito em Nossa Época*), Nova York, Putnam's, 1975 e de Barbara Hannah. *C. G. Jung: A Biographical Memoir* (*Jung: Vida e Obra – Uma Memória Biográfica*), Nova York, Putnam's, 1976. As duas autoras trabalharam estreitamente com Jung, especialmente durante os anos da Segunda Guerra e, a partir de então, até a sua morte. A biografia de Marie-Louise von Franz lida mais com o sentido da obra de Jung, ao passo que o livro de Hannah é rico em detalhes de cunho pessoal. Outra narrativa muito agradável da vida de Jung é *Jung and the Story of Our Time* (*Jung e a História do Nosso Tempo*), Nova York, Pantheon, 1975, de Laurens Van der Post.

Existem três visões gerais da interpretação junguiana dos sonhos: *Applied Dream Analysis,* Washington, Winston, 1978, de Mary Ann Mattoon e dois, escritos por mim, *Clinical Uses of Dreams: Jungian Interpretations and Enactments,* Nova York, Grune and Stratton, 1977, e um trabalho mais condensado, *Jungian Dream Interpretation: A Handbook of Theory and Practice* (*Jung e a Interpretação dos Sonhos – Manual de Teoria e Prática*).

Todos os títulos da série Inner City [Estudos de Psicologia Junguiana por Analistas Junguianos, publicados em português pela Cultrix], iniciada em 1980 para "promover a compreensão e a aplicação prática" da obra de Jung, são escritos por analistas junguianos. Os de Marie-Louise von Franz, organizados a partir de transcrições de suas palestras em inglês, fornecem uma visão particularmente lúcida da posição de Jung: *O Significado Psicológico dos Motivos de Redenção nos Contos de Fada; Adivinhação e Sincronicidade*; e *Alquimia – Uma Introdução ao Simbolismo e seu Significado na Psicologia de Carl G. Jung*. Uma relação completa de títulos da série Inner City, acompanhada de breves descrições de cada um deles, é fornecida no final deste volume.

Certo número de palestras mais antigas de Marie-Louise von Franz também foi publicado pela *Spring Publications*, incluindo *Creation Myths, Individuation in Fairy Tales, An Introduction to the*

Interpretation of Fairy Tales, Problems of the Feminine in Fairy Tales e *Shadowand Evil in Fairy Tales*. Sua discussão definitiva da síndrome do *puer aeternus* (publicada originalmente pela Spring Publications, em 1970) foi publicada recentemente, em edição revisada, sob o título *Puer Aeternus: The Adult Struggle With the Paradise of Childhood,* Santa Mônica, Sigo Press, 1981.

Os psicoterapeutas praticantes obterão particular proveito com *Jungian Analysis,* organizado por Murray Stein, publicado em volume encadernado pela Open Court e, em brochura, pela Shambhala Press. O livro contém capítulos escritos por alguns analistas junguianos praticantes, incluindo eu, que fornecem uma visão abrangente da atual condição da análise junguiana nos Estados Unidos. A ímpar escola britânica de análise junguiana, influenciada por Melanie Klein e pela escola de relações com o objeto da psicanálise freudiana, está bem representada na série The Library of Analytical Psychology, publicada para a Sociedade de Psicologia Analítica pela Academic Press; essa série é organizada por Michael Fordham, Rosemary Gordon, Judith Hubback e Kenneth Lambert, que também contribuíram com trabalhos.

Uma excelente introdução geral à análise junguiana é o clássico de Edward C. Whitmont. *The Symbolic Quest* (*A Busca do Símbolo*), Nova York, Putnam's, 1969. Uma das melhores análises da psicose de uma perspectiva junguiana é a obra de John Weir Perry. *Roots of Renewal in Myth and Madness,* São Francisco, Josey--Bass, 1976. O Centro Educacional C. G. Jung (C. G. Jung Educational Center), de Houston, publicou o estudo de Jane

Wheelwright sobre o *animus*, *For Women Growing Older*, organizado pela analista junguiana Martha Shelton Wolf.

As diferentes "escolas" de análise junguiana são discutidas por Andrew Samuels em *Jung and the Post-Jungians*, Londres, Routledge and Kegan Paul, 1985. Trata-se de uma útil pesquisa, embora, a meu ver, Samuels dê mais importância à "psicologia arquetípica" do que afirma, incluindo nessa variante de análise junguiana autores que não são analistas junguianos treinados (o que não faz com as escolas clássicas e desenvolvimentistas). A psicologia arquetípica desenvolveu-se, em larga medida, a partir da obra de James Hillman, ex-diretor de estudos do Instituto Zurique, sendo mais bem exemplificada em seu livro *Revisioning Psychology*, ou na revista *Spring*, editada por ele.

Um periódico altamente respeitado – o primeiro a surgir – do campo da psicologia junguiana é o *Journal of Analytical Psychology*, publicado em Londres sob a direção de Rosemary Gordon. *Quadrant*, periódico publicado pela Fundação C. G. Jung de Nova York, foi ampliado nos últimos anos e é uma importante arena de discussão das tendências em desenvolvimento no campo da psicologia junguiana. É editado por um distinto conselho editorial, dirigido por Maurice Krasnow. Outra importante publicação, que contém amplas resenhas de livros e filmes relevantes para a psicologia junguiana é *The San Francisco Jung Institute Library Journal*, editado por John Beebe. O Instituto de Los Angeles publica *Psychological Perspectives*, editado, até recentemente, por William Walcott, que apresenta uma visão mais popular, um tanto literária, da psicologia junguiana, embora sua ênfase possa sofrer alterações sob a direção do novo editor, Ernest Rossi.

Uma revista nova e muito necessária, dedicada à prática clínica da análise junguiana, é *Chiron,* que tem o nome do centauro mítico que foi mestre de Esculápio. É publicada pela *Chiron Press* pelo Instituto Jung de Chicago, editada por Murray Stein e Nathan Schwartz-Salant. *Chiron* publicou artigos das conferências anuais do Ghost Ranch (Rancho dos Fantasmas), realizadas no Novo México, abertas a analistas junguianos e candidatos e, conforme o espaço disponível, a um número limitado de outras pessoas. Além da *Chiron,* a Chiron Press iniciou a publicação de uma série de livros orientados para a prática clínica da psicologia analítica.

Merece menção especial o notável documentário de dez horas, *The Way of the Dream*, que apresenta Marie-Louise von Franz interpretando sonhos contados, diante das câmeras, pelos próprios sonhadores. Produzido pela Windrose Films, de Toronto, *The Way of the Dream* foi dirigido pelo analista junguiano Fraser Boa. A partir de 1985, o filme tem sido apresentado em sessões especiais de fim de semana em toda a América do Norte, mas ainda vai chegar à televisão e terá uma versão em vídeo. Espera-se ainda a publicação de uma transcrição.

A literatura junguiana cresce a passos acelerados. Essas poucas sugestões visam ser apenas um aperitivo, destinado a permitir uma fácil entrada nesse campo complexo e intricado.

NOTA DE ATUALIZAÇÃO DO EDITOR A RESPEITO DAS SUGESTÕES DE LEITURA

Nos dias de hoje, a bibliografia que envolve estudos junguianos é bem mais completa e vasta que a existente na época em que este livro teve sua primeira edição brasileira publicada no final dos anos 1980. Por esse motivo, sentimos que seria necessário fazer uma atualização bibliográfica seguindo as referências do autor.

As sugestões em nosso idioma estão divididas em: ponto de partida em obras escritas por Carl G. Jung; introdução à sua vida e obra; biografias, memórias, cartas e entrevistas; sonhos; obras gerais e de síntese introdutória às teorias e estudos de Jung e, por fim, uma lista com as nossas coleções, que hoje em dia são três: **Biblioteca Psicologia e Mito**, que por meio de dez volumes, é voltada para o estudo da mitologia – suas histórias, arquétipos e símbolos – interpretadas à luz do pensamento de Carl G. Jung, como um estudo preparatório para a compreensão da riqueza teórica da psicologia analítica; **Biblioteca Junguiana de Psicologia Feminina**, composta por sete volumes, que aborda os arquétipos femininos, suas histórias e símbolos ligados ao processo de individuação e a **Biblioteca Cultrix de Psicologia Junguiana**, na qual o leitor terá acesso a estudos com autores junguianos renomados, que versam sobre o rico arcabouço teórico/metodológico e prático dos conceitos fundamentais da psicologia analítica em quinze volumes, tornando-se um verdadeiro curso sobre o tema.

Ponto de partida em obras escritas por Carl G. Jung:

Jung, G. Carl. *Obra Completa – Psicologia do Inconsciente* Vol. 7/1: *Dois Escritos Sobre Psicologia Analítica – Parte 1*: Volume 1 – Petrópolis, Editora Vozes, 2011.

_____. *Obra Completa – Psicologia do Inconsciente* Vol. 7/1: *Dois Escritos Sobre Psicologia Analítica – Parte 1*: Volume 2 – Petrópolis, Editora Vozes, 2011.

_____. *Obra Completa, Tipos Psicológicos* Vol. 6 – Petrópolis, Editora Vozes, 2013.

Introdução à sua vida e obra:

Calvin S. Hall e Vernon J. Nordby. *Introdução à psicologia Junguiana – Síntese Sobre a Vida e a Obra de Carl G. Jung*. São Paulo: Cultrix, 2021.

Jung, G. Carl (org. e edição de Aniela Jaffé). *Memórias, Sonhos, Reflexões*. Rio de Janeiro: Nova Fronteira, 2019.

Obras gerais e de síntese introdutória às teorias e estudos de Carl Jung:

Whitmont, Edward C. *A Busca do Símbolo*. São Paulo: Cultrix, 1990.

Jacobi, Jolande. *Complexo, Arquétipo, Símbolo na psicologia de C. G. Jung*. Petrópolis: Editora Vozes, 2016.

Edinger, Edward F. *Ego e Arquétipo: Uma Síntese Fascinante dos Conceitos Psicológicos Fundamentais de Jung*. São Paulo: Cultrix, 2020.

Stein, Murray. *Jung o Mapa da Alma – Uma Introdução*. São Paulo: Cultrix, 2000.

Kast, Verena. *Jung e a Psicologia Profunda – Um Guia de Orientação Prática*. São Paulo: Cultrix, 2018.

Biografias, memórias, cartas e entrevistas:

Bair, Deirdre. *Jung: Uma Biografia – Volume 1*. São Paulo: Editora Globo/Biblioteca Azul, 2012.

Bair, Deirdre. *Jung: Uma Biografia* – Volume 2. São Paulo: Editora Globo/Biblioteca Azul, 2012.

Dunne, Claire. *Carl Jung: Curador Ferido de Almas*. São Paulo: Editora Alaúde, 2010.

Franz, Marie-Louise von. *C. G. Jung: Seu Mito em Nossa Época*. São Paulo: Cultrix, 1975.

Hannah, Barbara. *Jung: Vida e Obra – Uma Memória Biográfica*. São Paulo: Artmed Editora, 2003.

McGuire, William e Hull. R.F.C. Edição e tradução de *C. G. Jung: Entrevistas e Encontros*. São Paulo: Cultrix, 1978.

Van der Post, Laurens. *Jung e a História do Nosso Tempo*. Rio de Janeiro: Civilização Brasileira, 1993.

Sonhos:

Franz, Marie-Louise von. *Os Sonhos e a Morte – Uma Visão da Psicologia Analítica sobre os Múltiplos Simbolismos do Estágio Final da Vida*. São Paulo: Editora Cultrix, 2021.

Hall, James. *Jung e a Interpretação dos Sonhos*. São Paulo: Editora Cultrix, 1985.

Jung, C. G. *Sonhos*. Petrópolis: Editora Vozes, 2020.

_____. *Seminários sobre Análise de Sonhos – Notas do Seminário Dado em 1928-1930 por C.G. Jung*. Petrópolis: Editora Vozes, 2014.

Sanford, John A. *Breve Curso Sobre Sonhos – Técnica Junguiana Para Trabalhar com os Sonhos*. São Paulo: Paulus Editora, 1997.

Palestras de Marie-Louise von Franz:

Franz, Marie-Louise von. *A Individuação nos Contos de Fada*. São Paulo: Paulus Editora, 1999.

_____. *A Interpretação dos Contos de Fada*. São Paulo: Paulus Editora, 1999.

_____. *Mitos de Criação*. São Paulo: Paulus Editora, 2003.

_____. *A Sombra e o Mal nos Contos de Fada*. São Paulo: Paulus Editora, 2020.

_____. *Puer Aeternus – A Luta do Adulto Contra o Paraíso da Infância*. São Paulo: Paulus Editora, 1993.

Nossas coleções:

Biblioteca Junguiana de Psicologia Feminina

Bolen, Jean Shinoda. *Ártemis – A Personificação Arquetípica do Espírito Feminino Independente*. São Paulo: Cultrix, 2020.

_____. *O Anel do Poder – A Criança Abandonada, o Pai Autoritário e o Feminino Subjugado*. São Paulo: Cultrix, 2020.

Hillman, James. *Anima – A Psicologia Arquetípica do Lado Feminino da Alma no Homem e sua Interioridade na Mulher*. São Paulo: Cultrix, 2020.

Jung, Emma. *Animus e Anima – Uma Introdução à Psicologia Analítica sobre os Arquétipos do Masculino e Feminino Inconscientes*. São Paulo: Cultrix, 2020.

Koltuv, Barbara Black. *A Tecelã – Uma Jornada Iniciática Rumo a Individuação Feminina*. São Paulo: Cultrix, 2020.

McLean, Adam. *A Deusa Tríplice – Em Busca do Feminino Arquetípico*. São Paulo: Cultrix, 2020.

Woodman, Marion. *A Coruja Era Filha do Padeiro – Um Estudo Revelador sobre a Anorexia Nervosa Obesidade e o Feminino Reprimido*. São Paulo: Cultrix, 2020.

Biblioteca Psicologia e Mito:

Dethlefsen, Thorwald. *Édipo – Uma Interpretação Psicoterapêutica da Tragédia Grega*. São Paulo: Cultrix, 2017.

Jellouschek, Hans. *Sêmele, Zeus e Hera – Um Estudo Sobre a Mitologia Arquetípica por Trás dos Triângulos Amorosos*. São Paulo: Cultrix, 2017.

Kast, Verena. *Sísifo – Vida, Morte e Renascimento Através do Arquétipo da Repetição Infinita*. São Paulo: Cultrix, 2017.

Koltuv, Barbara Black. *O Livro de Lilith – O Resgate do Lado Sombrio do Feminino Universal*. São Paulo: Cultrix, 2017.

Müller, Lutz. *O Herói – A Verdadeira Jornada do Herói e o Caminho da Individuação*. São Paulo: Cultrix, 2017.

Neumann, Erich. *Eros e Psique – Amor, Alma e Individuação no Desenvolvimento do Feminino*. São Paulo: Cultrix, 2017.

Rasche, Jörg. *Prometeu – Revolta, Amadurecimento e Transformação do Princípio Masculino do Self*. São Paulo: Cultrix, 2017.

Rinne, Olga. *Medeia – A Redenção do Feminino Sombrio Como Símbolo de Dignidade e Sabedoria*. São Paulo: Cultrix, 2017.

Schapira, Laurie Layton. *O Complexo de Cassandra – Histeria, Descrédito e o Resgate da Intuição Feminina no Mundo Moderno*. São Paulo: Cultrix, 2017.

Waiblinger, Angela. *A Grande Mãe e a Criança Divina – Mito e Arquétipo sobre o Milagre da Vida como Desenvolvimento da Alma*. São Paulo: Cultrix, 2017.

Biblioteca Cultrix de Psicologia Junguiana:

Calvin S. Hall e Vernon J. Nordby. *Introdução à Psicologia Junguiana – Síntese sobre a Vida e a Obra de Carl G. Jung*. São Paulo: Cultrix, 2021.

Franz, Marie-Louise Von. *Adivinhação e Sincronicidade – Um Estudo Sobre o Tempo Psicológico e Probabilidade na Astrologia, Tarô, I Ching, Quiromancia e Numerologia*. São Paulo: Cultrix, 2022.

_____. *Alquimia – Uma Introdução ao Simbolismo e seu Significado na Psicologia de Carl G. Jung*. São Paulo: Cultrix, 2022.

_____. *Alquimia e a Imaginação Ativa – Estudos Integrativos Sobre Imagens do Inconsciente, sua Personificação e Cura*. São Paulo: Cultrix, 2022.

Franz, Marie-Louise Von. *O Significado Psicológico dos Motivos de Redenção nos Contos de Fadas — Um Estudo Arquetípico sobre Conflitos e Problemas de Relacionamentos*. São Paulo: Cultrix, 2022.

_____. *Os Sonhos e a Morte — Uma Visão da Psicologia Analítica sobre os Múltiplos Simbolismos do Estágio Final da Vida*. São Paulo: Cultrix, 2021.

Hall, James A. *A Experiência Junguiana — Conceitos Fundamentais Sobre Análise Clínica e o Processo de Individuação*. São Paulo: Cultrix, 2022.

_____. *Jung e a Interpretação dos Sonhos — Um Guia Prático e Abrangente para a Compreensão dos Estados Oníricos à Luz da Psicologia Analítica*. São Paulo: Cultrix, 2021.

Hillman, James. *Psicologia Arquetípica — Uma Introdução Concisa*. São Paulo: Cultrix, 2022.

Jaffé, Aniela. *Os Últimos Anos de Carl G. Jung — Ensaios Sobre sua Vida e Obra na Maturidade*. São Paulo: Cultrix, 2022.

_____. *O Mito do Significa na Obra de Carl. G. Jung — Uma Introdução Concisa ao Estudo da Psicologia Analítica*. São Paulo: Cultrix, 2021.

Perera, Sylvia Brinton. *O Complexo de Bode Expiatório — Um Estudo Sobre a Mitologia da Sombra e da Culpa*. São Paulo: Cultrix, 2022.

Robertson, Robin. *Guia Prático de Psicologia Junguiana — Um Curso Básico Sobre Fundamentos da Psicologia Profunda*. São Paulo: Cultrix, 2021.

Schwartz-Salant, Nathan. *Narcisismo e Transformação do Caráter – A Psicologia por Trás das Desordens de Caráter Narcisista*. São Paulo: Cultrix, 2022.

Sharp, Daryl. *Tipos de Personalidade – O Modelo Tipológico de Carl G. Jung*. São Paulo: Cultrix, 2021.

NOTAS

CW – *The Collected Works of C. G. Jung*, 20 vols., tradução para o inglês de R. F. C. Hull, org. H. Read, M. Fordham, G. Adler e William McGuire. Bollingen Series XX. Princeton: Princeton University Press, 1953-1979. (Em publicação no Brasil pela Ed. Vozes.)

1. *Memories, Dreams, Reflections,* tradução para o inglês de Richard e Clara Winston, org. Aniela Jaffé. Nova York: Pantheon Books, 1963, p. 308.

2. Talvez a obra mais conhecida a respeito da psicologia do *puer* seja *Puer Aeternus: The Adult Struggle with the Paradise of Childhood,* 2ª ed. Santa Monica: Sigo Press, 1981, de Marie-Louise von Franz; veja-se ainda Daryl Sharp.

The Secret Raven: Conflict and Transformation. Toronto: Inner City Books, 1980.

3. Jung. "Definitions", *Psychological Types, CW* 6, parágrafos 708-709.

4. A experiência do Si-mesmo arquetípico, nos termos da história bíblica de Jó, é apresentada iconograficamente na obra de Edward F. Edinger. *Encounter with the Self: A Jungian Commentary on William Blake's Illustrations of lhe Book of Job.* Toronto: Inner City Books, 1986. [*O Encontro com o Self – Um Comentário Junguiano sobre "as Ilustrações do Livro de Jó" de William Blake.* São Paulo: Editora Cultrix, 1991.] (Fora de catálogo.)

5. *C. G. Jung Letters,* vol. 1, tradução para o inglês de R. F. C. Hull, org. G. Adler e A. Jaffé. Bollingen Series XCV. Princeton: Princeton University Press, 1974, pp. 166-72.

6. Veja-se James A. Hall. "Jung and Hillman: Implications for a Psychology of Religion", em *Jung and the Study of Religion,* org. L. H. Martin e J. Goss. Nova York: American Universities Press, 1986.

7. Edinger. *The Creation of Consciousness: Jung's Myth for Modern Man.* Toronto: Inner City Books, 1984, pp. 12-3. [*A Criação da Consciência: O Mito de Jung para o Homem Moderno.* São Paulo: Cultrix, 1987.] (Fora de catálogo.)

8. Roy Laurens. *Fully Alive.* Dallas: Saybrook Press, 1985.

9. Samuels. *Jung and the Post-Jungians.* Londres: Routledge and Kegan Paul, 1985.

10. Veja-se Jung. "The Psychology of the Transference", *The Practice of Psychotherapy* ("Psicologia da Transferência", *Prática da Psicoterapia*, vol. XVI); veja-se também Mario Jacoby. *The Analytic Encounter: Transferene and Human Relationship.* Toronto: Inner City Books, 1984, pp. 25-8. [*O Encontro Analítico: Transferência e Relacionamento Humano.* (São Paulo: Cultrix, 1987), pp. 28-31]. (Fora de catálogo.)

11. *C. G. Jung Letters,* vol. 2, pp. 217-21. A colega de Jung, Marie-Louise von Franz, também questiona o valor da terapia de grupo; veja-se "On Group Psychology", *Quadrant,* vol. 13, 1973.

12. Jung. "Comentários sobre 'O Segredo da Flor de Ouro'", *Alchemical Studies, CW* 13, par. 4.

13. Jung. "Synchronivity: An Acausal Connecting Principle", *The Structure and dynamics of the Psyche, CW* 8. (*Sincronicidade: Um Princípio de Conexões Acausais,* vol. VIII/3).

14. Veja-se James A. Hall. *Clinical Uses of Dreams: Jungian Interpretations and Enactments.* Nova York: Grune and Stratton, 1977, pp. 141-82.

15. Veja-se Jung. *Experimental Researches, CW* 2, Parte 1: "Studies in Word Association".

16. Jung. "The Psychology of Dementia Praecox", *The Psychogenesis of Mental Disease, CW* 3, par. 86 e nota 9.

17. Veja-se Hall. *Clinical Uses of Dreams,* pp. 172-73, e *Jungian Dream Interpretations: A Handbook and Practice.* Toronto: Inner City Books, 1983, pp. 28-33. [*Jung e a Interpretação dos Sonhos – Manual de*

Teoria e Prática. São Paulo: Cultrix, 1985, pp. 19-27.] (Fora de catálogo.)

18. Veja-se M. Polanyi. *Personal Knowledge: Toward a Post-Critical Philosophy.* Chicago: University of Chicago Press, 1958.

19. Discorri extensamente a esse respeito em *Clinical Uses of Dreams* (particularmente no Capítulo 7) e, numa forma condensada, em *Jung e a Interpretação dos Sonhos,* pp. 109-112.

20. *Journal of the American Society of Clinical Hypnosis,* vol. 26, 1984, pp. 159-65.

21. Veja-se Victor W. Turner. *The Ritual Process.* Chicago: Aldine Publishing Co., 1969.

22. D. W. Winnicott. *Collected Papers.* Londres: Tavistock, 1958.

23. Jung. *Two Essays on Analytical Psychology* (*Estudos de Psicologia Analítica,* vol. VII), [*CW* 7, pars. 254-59 e 471-75].

24. Edward F. Edinger. *Ego and Archetype: Individuation and the Religious Function of the Psyche.* Nova York: Putnam's, 1972, pp. 5-6. [*Ego e Arquétipo: Uma Síntese Fascinante dos Conceitos Psicológicos Fundamentais de Jung.* São Paulo: Cultrix, 2ª edição, 2020.]

25. Comunicação pessoal.

26. Jung. "Psychology and Religion", *Psychology and Religion: West and East, CW* 11, par. 139. [*Psicologia e Religião,* brochura, em *Psicologia da Religião Ocidental e Oriental,* vol. XI, par. 139.]

27. Fiquei impressionado com a obra do erudito budista japonês Nishitani (veja-se *Religion and Nothingness.* Trad. para o inglês de

J. van Bragt. Los Angeles: University of California Press, 1982), cujo conceito de *sunyata,* ou vazio, é bem sugestivo da psique objetiva junguiana, como campo indescritível de possibilidades a partir das quais o mundo é constituído.

28. Jung. "The Psychology of the Child Archetype", *The Archetypes and the Collective Unconscious, CW* 9i, par. 271.

29. Jung. "Definitions", *Psychological Types, CW* 6, pars. 808-11. ["Definições", *Tipos Psicológicos, Obras Completas,* vol. 6.]

30. Veja-se F. Alexander e S. Selesnik. *The History of Psychiatry,* Nova York: Harper and Row, 1966, pp. 221, 262-65, 294-95 e 376.

31. Veja-se Sharp. *The Secret Raven,* pp. 75-82.

32. O estudo de von Franz sobre o *puer* (veja-se nota 2) tem como base uma interpretação estritamente psicológica de *O Pequeno Príncipe.*

33. June Singer e Mary Loomis. *The Singer-Loomis Inventory of Personality.* Palo Alto: Consulting Psychologists Press, 1984.

34. Veja-se, por exemplo, M. Mahler, K. F. Pine e A. Bergman. *The Psychological Birth of the Human Infant.* Nova York: Basic Books, 1975.

35. Veja-se John W. Perry. *Roots of Renewal in Myth and Madness.* São Francisco: Jossey-Bass, 1976.

36. Edinger. *Ego and Archetype,* p. 41; veja-se também Aldo Carotenuto. *The Spiral Way: A Woman's Healing Journey.* Toronto: Inner City Books, 1986.

37. Veja-se Jung. "The problem of the Attitude-Type", *Two Essays on Analytical Psychology*, CW 6. ["O Problema da Atitude-Tipo", em *Estudos sobre Psicologia Analítica,* vol. VII.]

38. *Ibid.* par. 62; veja-se também *Psychological Types, CW* 6, par. 4.

39. Jung. "General Description of the Types", *ibid.,* pars. 330-671.

40. Meu trabalho analítico é feito primariamente face a face com o paciente, embora meu treinamento psiquiátrico inclua o tratamento de alguns casos de controle no divã. No trabalho hipnoanalítico, ofereço ao analisando a escolha de deitar-se no divã ou sentar-se numa cadeira de reclinar com apoio para os pés. Como a interpretação de sonhos é o método que prefiro para acompanhar o progresso do paciente (incluindo questões de Transferência/Contratransferência – T/CT), nunca me importaram os argumentos pró e contra o uso do divã. Deitar-se num divã promove claramente mais dissociação no analisando (tal como ocorre na hipnoterapia) e é uma maneira de induzir um estado mais regressivo – se isso for desejável.

41. A questão dos honorários na análise também é tratada em Jacoby. *The Analytic Encounter*, pp. 93-8 [*O Encontro Analítico.* São Paulo: Cultrix, 1987, pp. 103-09]. (Fora de catálogo.)

42. O trabalho de R. D. Langs é bem apresentado em *The Therapeutic Interaction,* 2 vols. Nova York: Jason Aransch, 1976.

43. Veja-se Nathan Schwartz-Salant. "Archetypal Factors Underlying Sexual Acting-Out in the Transference/Countertransference",

Chiron 1 (1984). Veja-se também Jacoby. *O Encontro Analítico,* Cap. 7, "Amor Erótico na Análise".

44. Estou em dívida para com minha colega Gladys Guy Brown, amiga e coterapeuta no trabalho com grupos por muitos anos, pela assistência na definição da área de responsabilidade do analisando.

45. Jung. "Psychology of Transference", *The Practice of Psychoterapy, CW* 16, par. 422.

46. Os desenhos alquímicos usados por Jung em "The Psychology of Transference" são retirados de ilustrações de um texto de Gerhard Dorn. Para uma compilação mais completa desses desenhos, veja-se A. MacLean. *The Rosary of the Philosophers.* Edimburgo: Magnum Opus Hermetic Sourceworks, 1980.

47. Veja-se Jung. "Problems of Modern Psychotherapy", *The Practice of Psychoterapy, CW*16, pars. 53-75.

48. Jung. "The Psychology of Dementia Praecox", *The Psychogenesis of Mental Disease, CW* 3, par. 195.

49. Jung. "On the Psychogenesis of Schizophrenia", *ibid.,* par. 531.

50. Jung. "Definitions", *Psychological Types, CW* 6, par. 828; veja-se também Jung. "The Transcendent Function", *The Structure and Dynamics of the Psyche* ["A Função Transcendente", *A Dinâmica do Inconsciente,* vol. VIII.]

51. M. Miyuki. "Self-Realization in the Ten Ox-Herding Pictures", em *Buddhism and Jungian Psychology,* org. J. F. Spiegelman e M. Miyuki. Fênix: Falcon Press, 1985.

52. Veja-se R. J. White. *The Interpretation of Dreams: Oneirocritica by Artemidorus*. Park Ridge. Nova Jersey: Noyes Press, 1975.

53. A abordagem junguiana dos sonhos é apresentada de modo amplo em "General Aspects of Dream Psychology", e "On the Nature of Dreams" ["Aspectos Gerais da Psicologia dos Sonhos" e "Sobre a Natureza dos Sonhos"], incluídos em *The Structure and Dynamics of the Psyche* [*A Dinâmica do Inconsciente*, vol. VIII.]

54. Veja-se, por exemplo, Hall. *Clinical Uses of Dreams*, pp. 266-71.

55. Veja-se Hall. "Religious Images in Dreams". *Journal of Religion and Health*, vol. 18 (1979) e "Religious Symbols in Dreams of Analytical Patients". *Journal of the American Academy of Psychoanalysis*, vol. 9 (1981).

56. R. B. Onians. *The Origins of European Thought*. Nova York: Arno Press, 1973.

57. Veja-se a nota 16 acima.

58. Jung. "On the Nature of Dreams" ["Sobre a Natureza dos Sonhos"], em *The Structure and Dynamics of the Psyche* [*A Dinâmica do Inconsciente*, vol. VIII, pars. 545 ss.]

59. Jung. "Introdução a *Analyse der Kinderseele*" [O Mundo Interior da Infância]; de Wickes. The Development of Personality, CW 17, pars. 93-7 [*O Desenvolvimento da Personalidade*, vol. XVII, e "Child Development and Eduation", *ibid.*, pars. 106s ["Desenvolvimento e Educação da Criança"].

60. Hall. *Clinical Uses of Dreams*, p. 335.

61. Veja-se H. B. Crasilneck e James A. Hall. *Clinical Hypnosis: Principles and Applications,* 2ª ed. Nova York: Grune and Stratton, 1985.

62. Edward Whitmont. "Group Therapy and Analytical Psychology". *Journal of Analytical Psychology,* vol. 9, nº 1, janeiro de 1964.

63. Jung. "The Psychology of the Transference ["Psicologia da Transferência"], *The Practice of Psychotherapy*, CW 16, par. 433 [*Prática da Psicoterapia*].

64. Jung. "Marriage as a Psychological Relationship" ["O Casamento como Relação Psicológica"], *The Development of Personality*, CW 8, par. 327 [*O Desenvolvimento da Personalidade,* vol. XVII.]

65. *Ibid.* Par. 331 c. Para uma apresentação particularmente original e criativa do modo como lidar com a interação *anima/animus* na terapia de casais, veja-se Polly Young-Eisendrath. *Hags and Heroes: A Feminist Approach to Jungian Psychoterapy with Couples.* Toronto: Inner City Books, 1984.

66. Jung. 'The Family Constellation", *Experimental Researches,* CW 2, pars. 990-1014.

67. Jung. "Psychic Conflicts in a Child" ["Conflitos Psíquicos na Criança"], *The Development of Personality* [*O Desenvolvimento da Personalidade,* vol. XVII.]

68. Jung. "Symbols and the Interpretation of Dreams", *The Symbolic Life,* CW 18, par. 492.

69. "Some Crucial Points in Psychoanalysis: A Correspondence between Dr. Jung e Dr. Loÿ", *Freud and Psychoanalysis,* CW 4, par. 601.

70. Jung. "Symbols and the Interpretation of Dreams". *The Symbolic Life,* CW 18, par. 492.

71. Crasilneck e Hall. *Clinical Hypnosis,* pp. 36-41.

72. Veja-se John Watkins. *The Therapeutic Self.* Nova York: Human Sciences Press, 1978.

73. Essa é a mensagem geral da correspondência de Jung com o dr. Loÿ; ver acima, nota 69.

74. Edinger. *The Creation of consciousness*, C. 1, "The New Myth" [*A Criação da Consciência,* cap. 1, "O Novo Mito".]

75. Jung. *Memories, Dreams, Reflections,* pp. 196-97; para um esboço da teoria e da prática do yoga com relação ao desenvolvimento do pensamento de Jung, veja-se Harold Coward. *Jung and Eastern Thought.* Albany: State University Press of New York, 1985.

76. T. S. Eliot. "Burnt Norton", versos 62-7.

77. Veja-se, por exemplo, H. Kaplan. "History of Psychosomatic Medicine", em *Comprehensive Textbook of Psychiatry,* org. H. Kaplan, A. Freedman e B. Sadock. Baltimore: Williams e Wilkins, 1980, vol. 1, pp. 1843-853, e P. A. Knapp. "Current Theoretical Concepts of Psychosomatic Medicine", ibid., pp. 1853-862.

78. T. S. Eliot. "Little Gidding", versos 239-43.

79. Ibid., versos 253-54.

80. "The 'Face to Face' Interview", *C. G. Jung Speaking.* Bollingen Series XCVII, org. McGuire e R. F. C. Hull. Princeton: Princeton

University Press, 1977, p. 438. ["A Entrevista 'Face a Face'", *C. G. Jung: Entrevistas e Encontros.* São Paulo: Cultrix, 1982, pp. 372-84.] (Fora de catálogo.)

81. Veja-se Jung. "The Soul and Death", *The Structure and dynamics of Psyche, CW* 8. ["O Espírito e a Morte", *A Dinâmica da Personalidade,* vol. VIII.]

82. F. W. H. Myers. *Human Personality and Its Survival of Bodily Death.* Nova York: Garrett Publications, 1954.

83. Jung. *Memories, Dreams, Reflections,* p. 325.

84. Ibid., p. 313.

85. As teorias freudianas do ego, superego e id estão esboçadas em *New Introductory Lectures on Psycho-Analysis and Other Works.* Londres: Hogarth Press, 1964.

86. David Bakan. *Sigmund Freud and the Jewish Mystical Tradition.* Boston: Beacon Press, 1958.

87. Jung. *Memories, Dreams, Reflections,* pp. 53-6.

88. "On Resurrection", *The Symbolic Life, CW* 18, pars. 1558-574.

89. "Letter to Père Lachat", *ibid.,* pars. 1532-557.

90. "Letter to Père Bruno", *ibid.,* pars. 1518-531.

91. "Gnostic Symbols of the Self", *Aion, CW* 911, pars. 287-346. ["Símbolos Gnósticos do Si-mesmo", *Aion – Estudos sobre o simbolismo do Si-mesmo. Obras Completas,* vol. IX/2, pars. 287-346.]

92. "A Psychological Approach to the Dogma of the Trinity", *Psychology and Religion: West and West*, *CW* 11, pars. 108-296. [*Interpretação Psicológica do Dogma da Trindade, Obras Completas*, vol. XI/2, pars. 169-295.]

93. "Transforamtion Symbolism in the Mass", *CW* 11, pars. 202-96 [*O Símbolo da Transformação na Missa, Obras Completas*, vol. XI, brochura publicada em separado.]

94. Jung, "The Undiscovered Self", *Civilization in Transition, CW* 10, par. 512; veja-se também "Psychological Factors in Human Behaviour", *The Structure and Dynamics of the Human Psyche*, *CW* 8, pars. 237-45 ["Fatores Psicológicos do Comportamento Humano", *A Dinâmica do Inconsciente,* vol. VIII], no qual a atitude religiosa é concebida como derivada do instinto reflexivo.

95. Veja-se "A Study in the Process of Individuation" e "Concerning Mandala Symbolism", *The Archetypes and the Collective Unconscious, CW*, 9i.

96. "Jung and Religious Belief", *The Symbolic Life, CW* 18, pars. 1650ss.

97. Edinger. *Ego and Archetype,* passim.

98. "Answer to Job", *Psychology and Religion*, *CW* 11, pars. 553-758 ["Resposta a Jó", *Psicologia e Religião*, *Obras Completas*, vol. XI/4.]

99. "Concerning 'Answer to Job'", *The Symbolic Life, CW* 18, par. 1498a.

100. Edinger. *The Creation of Consciousness*, especialmente o Capítulo 3, "Depth Psychology as the New Dispensation Reflections

on Jung's 'Answer to Job'" [*A Criação da Consciência*, especialmente Cap. 3, "A Psicologia Profunda como a Nova Dispensação: Considerações sobre a *Resposta a Jó*, de Jung", pp. 57-87.]

101. Veja-se P. Homans. *Jung in Context*. Chicago: Chicago University Press, 1982. Homans é um erudito, e não um médico e demonstra não ter compreendido corretamente alguns pontos da teoria junguiana tal como é aplicada atualmente. Mais explícito no tratamento dos temas teológicos, mas também sem orientação clínica, é *The Illness That We Are: A Jungian Critique of Christianity*. Toronto: Inner City Books, 1984, de J. B. Dourley. Dourley é analista junguiano, padre da Igreja Católica e professor de estudos religiosos.

102. Veja-se acima, nota 55. Também trato dessas questões em "Psychiatry and Religion: A Review and Projection of Future Needs", *Anglican Theological Review,* vol. 63 (1981); "The Work of J. B. Rhine: Implications for Religion". *Journal of Parapsychology,* vol. 36, 1982; e "A Jungian Perspective on Parapsychology: Implications for Science and Religion", comunicação apresentada na Parapsychology Foundation Conference, Roma, 1985. Jung faz referência ao "modo como o inconsciente dos protestantes se comporta quando tem de compensar uma atitude intensamente religiosa". "Foreword to Froboese – Thile: Traüme – Eine Quelle Religiöser Erfahrung? [Sonhos – Uma Fonte de Experiência Religiosa?]", *The Symbolic Life, CW* 18, par. 1581.

103. Veja-se acima, nota 15.

104. Veja-se acima, nota 89.

105. *C. G. Jung Letters,* vol. 1, pp. 393-95.

106. Veja-se "Synchronicity: An Acausal Connecting Principle", C. 2, "An Astrological Experiment", *The Structure and Dynamics of the Psyche,* CW 8, pars. 872-915. [*Sincronicidade: Um Princípio de Conexões Acausais,* Cap. 2; e "Uma experiência astrológica", em *A Dinâmica do Inconsciente.* Uma versão condensada está em *The Symbolic Life,* CW 18, pars. 1174-1192.]

107. "Religion and Psychology: A Reply to Martin Buber", ibid., pars.1499-513.

108. Veja-se *Memories, Dreams, Reflections,* cap. 7, "The Work".

109. "On the Nature of the Psyche", *The Structure and Dynamics of the Psyche,* CW 8, pars. 417ss ["Sobre a Natureza da Psique", *A Dinâmica do Inconsciente,* vol. VIII.]

110. Veja-se Gary Zukav. *The Dancing Wu Li Masters: An Overview of the New Physics.* Nova York: Bantam Books, 1980.

GLOSSÁRIO DE TERMOS JUNGUIANOS

Anima – (latim; "alma"). O lado inconsciente feminino da personalidade do homem. É personificada em sonhos por imagens de mulheres que vão de prostituta e mulher fatal a guia espiritual (Sabedoria). Ela é o princípio do Eros; por isso, o desenvolvimento da *anima* do homem reflete-se no modo como ele se relaciona com as mulheres. A identificação com a *anima* pode aparecer como melancolia, efeminação e excesso de sensibilidade. Jung chama a *anima* de o *arquétipo da própria vida*.

Animus – (latim; "espirito"). O lado inconsciente masculino da personalidade de uma mulher. Ele personifica o princípio do Logos. A identificação com o *animus* pode levar a mulher a tornar-se rígida, dogmática e argumentativa. De maneira mais positiva, ele é o homem interior que atua como uma ponte entre o ego da mulher e seus próprios recursos criativos no inconsciente.

Arquétipos – Não podem ser descritos, mas seus efeitos aparecem na consciência como as imagens e ideias arquetípicas. São padrões ou motivos universais que vêm do inconsciente coletivo e formam o conteúdo básico das religiões, mitologias, lendas e contos de fadas. Emergem nos indivíduos por meio de sonhos e visões.

Associação – Um fluxo espontâneo de pensamentos e imagens interligados em torno de uma ideia específica, estabelecido por conexões inconscientes.

Complexo – Um grupo de ideias ou imagens emocionalmente carregadas. No "centro" de um complexo encontra-se um arquétipo ou uma imagem arquetípica.

Constelar – Sempre que ocorre uma forte reação emocional com relação a uma pessoa ou situação, um complexo foi constelado (ativado).

Ego – O complexo central no campo da consciência. Um ego forte pode relacionar-se objetivamente com conteúdos ativados do inconsciente (ou seja, com outros complexos), em lugar de identificar-se com eles, o que aparece como um estado de possessão.

Função transcendente – O "terceiro" reconciliador que emerge do inconsciente (na forma de um símbolo ou de uma nova atitude) depois que os opostos conflitantes tenham sido conscientemente diferenciados e a tensão entre eles retida.

Individuação – A realização consciente da realidade psicológica ímpar de cada pessoa, incluindo tanto os poderes como as limitações. Leva à experiência do Si-mesmo como centro regulador da psique.

Inflação – Um estado no qual a pessoa tem um sentimento de identidade irreal alto ou baixo (inflação negativa). Indica a regressão da consciência para a inconsciência, o que ocorre tipicamente quando o ego adquire por si mesmo conteúdos inconscientes em demasia e perde a faculdade de discriminação.

Intuição – Uma das quatro funções psíquicas. É a função irracional que nos conta as possibilidades imanentes no presente. Ao contrário da sensação (a função que percebe a realidade imediata por meio dos sentidos físicos), a intuição percebe as coisas por meio do inconsciente; por exemplo, lampejos de discernimento de origem desconhecida.

Participation mystique – Um termo derivado do antropólogo e sociólogo Lucien Lévy-Bruhl que indica uma ligação primitiva, psicológica, com objetos ou entre pessoas, resultando num forte vínculo inconsciente.

Persona – (latim; "a máscara do ator"). O papel social de uma pessoa, derivado das expectativas da sociedade e do treinamento dos primeiros anos. Um ego forte se relaciona com o mundo exterior por meio de uma *persona* flexível; a identificação com uma *persona* específica (médico, erudito, artista) inibe o desenvolvimento psicológico.

Projeção – O processo pelo qual uma qualidade ou característica inconsciente da própria pessoa é percebida e o modo como reage em relação a um objeto ou pessoa exterior. A projeção da *anima* ou do *animus* numa mulher real ou num homem real é vivenciada como o ato de se apaixonar. Expectativas frustradas indicam a necessidade de retirar projeções, de maneira que a pessoa se relacione com a realidade de outras pessoas.

Puer aeternus – (latim; "eterno jovem"). Indica determinado tipo de homem que permanece por tempo excessivo na psicologia da adolescência, geralmente associado a uma forte vinculação inconsciente com a mãe (verdadeira ou simbólica). Os traços positivos são a espontaneidade e a abertura a mudanças. Sua contraparte feminina é a *puella aeternus,* uma "eterna menina" com uma vinculação correspondente com o mundo do pai.

Senex – (latim; "velho"). Associado com atitudes que surgem com a idade. Negativamente, pode significar cinismo, rigidez e extremo conservadorismo; os traços positivos são a responsabilidade, o método e a autodisciplina. Uma personalidade bem equilibrada funciona apropriadamente dentro da polaridade *puer-senex*.

Sentimento – Uma das quatro funções psíquicas. É uma função racional que avalia o valor dos relacionamentos e das situações. O sentimento deve ser distinguido da emoção, que é decorrência de um complexo ativado.

Símbolo – A melhor expressão possível para algo essencialmente desconhecido. O pensamento simbólico é não linear, orientado pelo lado direito do cérebro; é complementar ao pensamento do lado esquerdo do cérebro, que é lógico e linear.

Si-mesmo – O arquétipo da totalidade e o centro regulador da personalidade. É vivenciado como um poder transpessoal que transcende o ego; por exemplo, Deus.

Sombra – Uma parte inconsciente da personalidade caracterizada por traços e atitudes, negativos ou positivos, que o ego consciente tende a ignorar ou a rejeitar. É personificada em sonhos por pessoas do mesmo sexo do sonhador. Assimilar conscientemente a própria sombra resulta quase sempre num aumento de energia.

Transferência e contratransferência – Casos particulares de projeção, usados comumente para descrever os vínculos emocionais inconscientes que surgem entre duas pessoas no relacionamento analítico ou terapêutico.

Ouroboros – A cobra ou dragão mitológico que devora a própria cauda. É um símbolo tanto para a individuação, como processo circular e autoabrangente, quanto para a autoabsorção narcisista.

Impresso por :

gráfica e editora

Tel.:11 2769-9056